FILHOS: MANUAL DE INSTRUÇÕES

OUTRAS OBRAS DA AUTORA

Limites sem trauma
Os direitos dos pais
Encurtando a adolescência
Rampa (romance)
O adolescente por ele mesmo
Educar sem culpa
Escola sem conflito
Sem padecer no paraíso
Diabetes sem medo (Editora Rocco)
A escola em Cuba (Editora Brasiliense)
O professor refém

Coleção Ecológica (infantil)
O mistério da lixeira barulhenta
O desmaio do beija-flor
A visita da cigarra
O macaquinho da perna quebrada
O estranho sumiço do morcego

TANIA ZAGURY

FILHOS: MANUAL DE INSTRUÇÕES

PARA PAIS DAS GERAÇÕES X E Y

EDITORA RECORD
RIO DE JANEIRO • SÃO PAULO
2011

Cip-Brasil. Catalogação-na-fonte
Sindicato Nacional dos Editores de Livros, RJ.

Z23f Zagury, Tania, 1949-
Filhos: manual de instruções / Tania Zagury. Rio de Janeiro : Record, 2011.

Inclui bibliografia
ISBN 978-85-01-09317-2

1. Responsabilidade dos pais. 2. Pais e filhos. 3. Educação de crianças – participação dos pais. I. Título.

CDD 649.1
11-0161 CDU 649.1

Texto revisado segundo o novo Acordo Ortográfico da Língua Portuguesa.

Direitos exclusivos de publicação em língua portuguesa somente para o Brasil adquiridos pela
EDITORA RECORD LTDA.
Rua Argentina 171 – Rio de Janeiro, RJ – 20921-380 – Tel.: 2585-2000

Impresso no Brasil

ISBN 978-85-01-09317-2

Este livro é para...

Quem não quer *e* não gosta de ter problemas desnecessários.

Também será muito útil àqueles que sabem estar perdendo tempo de vida feliz e saudável com os filhos devido a desentendimentos constantes e repetições enfadonhas que podem e devem ser evitados — desde que se tenham orientação e objetivos claros e definidos.

Em resumo, este livro é para pais que querem educar e dar limites aos filhos, mas não sabem como, quando nem de que maneira fazê-lo.

Mas não é para...

Quem teve filhos e descobriu que é trabalhoso demais cuidar deles e, por isso, deseja encontrar soluções mágicas (fáceis) para amenizar a tarefa (educar filhos não é tarefa fácil).

Nada do que vai ser apresentado vale para pais que estão

- Com preguiça;
- Com vontade de ir à balada, mas não têm com quem deixar os filhos;
- Chateados porque querem ir ao cinema, jantar fora, viajar, dormir sem ser incomodados etc. e não podem porque agora têm filhos.

Aqui vamos tratar de situações em que a criança (amada e saudável) começa a compreender o mundo e suas regras e se prepara para viver em grupo, situações nas quais a ação da família é insuperável e essencial.

Sumário

Apresentação

Somente quem tem filhos sabe como é difícil ensinar regras de convivência social, higiene, alimentação, educação, vida saudável. No dia a dia, parece algo como uma luta que nunca tem fim.

A razão de ser deste livro é contribuir para minimizar essas dificuldades.

Situações que podem parecer simples e fáceis de resolver para alguns certamente não o são para quem passa seus dias repetindo as mesmas coisas para filhos que adoram, mas que os deixam completamente exaustos e sem alcançar os resultados esperados.

A esses pais dedico meu trabalho, no qual busquei sistematizar, num texto claro e objetivo, conceitos, atitudes e ações interiorizadas *ao longo de anos de estudos em Educação e, não menos fundamental, na prática de toda uma vida dedicada à educação na família e na escola.* Desafio que espero ter vencido sem tornar simplistas nem ingênuas as concepções apresentadas.

Cada um dos temas que se seguem costuma ser fonte de ansiedade e mesmo de desentendimentos constantes entre pais e filhos. E entre pai e mãe. Entre quem cuida e quem não quer cuidar. Entre quem se acomoda e quem não quer deixar o barco correr à deriva e sem destino, especialmente quando está em jogo o futuro de uma criança — o *seu filho.*

O título, ***Filhos: manual de instruções***, tem relação direta com certa brincadeirinha (nem tão brincadeirinha assim), bastante comum entre pais desconcertados com o trabalho que os filhos dão: "*Filho é ótimo, maravilhoso! Pena que não venha com manual de instrução...*", dizem eles no auge da perplexidade.

Embora a expressão *manual de instruções* implique certo estereótipo depreciativo, especialmente no meio acadêmico, que com toda razão desconfia de publicações não fundamentadas e que constituem *parte* desses guias (menosprezados exatamente porque não embasam suas afirmativas em estudos, publicações científicas ou teses comprovadas), optei por ousar — arriscando tanto no título quanto no formato que escolhi. Necessário se faz, porém, ressalvar que a referida escolha diz respeito *unicamente* ao visual gráfico do texto e ao título, definidos ambos devido às características dos leitores a quem se destina (e que explico adiante, nesta mesma seção).

No entanto, esgota-se aí a semelhança, porque certamente não o fiz no que concerne ao conteúdo, que toma por base, de forma eclética, teorias de conceituados estudiosos da área de Educação. O mais é fruto de minha vivência profissional utilizando boa parte das propostas aqui descritas e selecionando as que comprovadamente apresentaram resultados concretos na prática com crianças e jovens.

A atual geração de pais é formada, em parte, por adultos que pertencem à chamada Geração X[1] e, em outra, pelos da Geração Y.[2] São, portanto, filhos (ou netos) daqueles que promoveram as maiores mudanças sociais, afetivas e comportamentais dos últimos séculos — os *Baby Boomers*.[3] Uma geração generosa que lutou, como nenhuma outra, pela igualdade entre as minorias, pelos direitos das mulheres, pela paz e contra a guerra. E que promoveu também, entre outras, fundamental mudança em termos educacionais na família, instituindo o diálogo como método de educação e entendimento entre pais e filhos.

Foi para eles, os *Baby Boomers*, que comecei a escrever sobre educação — na família e na escola. Hoje, ao final do ano de 2010, decorridos mais de vinte anos, duas outras gerações cresceram — cada uma das quais com objetivos e enfoques diversos.

---

[1] Geração X: Nascidos, aproximadamente, entre os anos 1960 e 1980, filhos dos *Baby Boomers*.

[2] Geração Y: Nascidos entre os anos 1980 e 2000 (segundo alguns autores até 2010) mais ou menos, os *Nativos Virtuais*.

[3] *Baby Boomers*: Geração dos nascidos após a Segunda Grande Guerra (ou ao final, segundo alguns autores), entre 1946 até 1960-64, mais ou menos.

São esses jovens adultos das gerações X e Y, em quase tudo diferentes dos *Baby Boomers*, que atualmente estão educando filhos.

Como são e o que pensam esses papais e mamães de hoje? Em que e por que se diferenciam tanto de seus pais? E como tais mudanças influenciam na educação de seus filhos?

Vejamos:

A *Geração X*, também chamada por alguns autores de *Geração Perdida* e por outros de *Geração Competitiva*, não se propôs a continuar as lutas empreendidas por seus pais. Ao contrário: rompeu com os projetos dos *Baby Boomers*, para quem o bem-estar social *de todos* era premissa essencial (a ponto de serem conhecidos como *Geração Ideológica* ou como *Juventude Libertária*). Surpreendentemente, a geração seguinte fincou pés no chão: é realista e, abandonando o idealismo de seus pais, buscou individualidade, liberdade e privacidade, embora sem rejeitar a convivência em grupo. Se a *Geração X* vive *em grupo*, a dos *Baby Boomers* viveu — e ainda vive — *pelo grupo*.

Os "X" valorizam marcas e produtos de qualidade, consolidando um consumismo incipiente, mas que ganhou força desconcertante anos depois. Não é de admirar, se levarmos em conta o fato de que, enquanto eles cresciam, desenvolviam-se ao mesmo tempo e geometricamente a tevê e o marketing moderno, que associaram seu enorme poder de sedução e influência. A tevê, apresentada ao público em termos comerciais entre as décadas de 1950-60 nos EUA, em menos de dez anos se fez presente em 99% dos lares. E, a seguir, conquistou o mundo. A Geração X conviveu bem tanto com a mídia eletrônica, quanto com o início do desenvolvimento das novas tecnologias ligadas à computação e ao mundo virtual, que então começava.

Enquanto seus pais se preocupavam com o bem-estar do *outro* e lutavam pela igualdade de direitos, os "X" buscaram prover a individualidade, o ego e o direito ao prazer. Segundo alguns autores, demonstram menor apreço e respeito tanto pela família quanto pela religião. Consolidaram a experiência sexual antes do casamento — iniciada na geração anterior — tornando-a comportamento da maioria. A submissão e aceitação às novas formas de comunicação (visual, multimídia e virtual) promoveram, em contrapartida, substancial desapego ao hábito de ler.

A *Geração Y*, que se seguiu, nasceu *em plena era virtual* e, por isso, desenvolveu, de forma inédita, o interesse e hábito da comunicação e informação instantâneas. Também conhecidos como *Nativos Virtuais* ou *Millennials*, nasceram, cresceram e se tornaram adultos em torno da mudança do milênio. Seus representantes, nascidos entre os anos 1980 e 2000 aproximadamente, preferem computadores a livros, digitam em vez de escrever, estão sempre conectados, passam horas nas redes de relacionamento, ao mesmo tempo que ouvem música, falam ao celular e fazem suas tarefas cotidianas — no trabalho ou na escola.

É a geração multitarefa, que, se por um lado utiliza diferentes tecnologias com a mesma naturalidade que seus avôs usavam agulhas ou o martelo, por outro, apresentam dificuldade em aprofundar conhecimentos e manter constância no desempenho de tarefas. Têm um certo menosprezo pela autoridade, preferindo as relações horizontalizadas. Em geral não se filiam às empresas e instituições em que trabalham, mas sim aos seus próprios objetivos. São criativos, informais e apreciam trabalhar em casa, sem muita rigidez de horário.

Há muito que se dizer — e muito ainda a observar e estudar em termos dessas duas gerações. Para os fins deste trabalho, no entanto, o que caracterizei parece-me suficiente para que se compreenda o que se segue.

As características dessas duas gerações, nas quais facilmente reconhecemos nossos alunos, filhos e até mesmo colegas mais jovens, levaram-me à indagação: *Como manter, vinte anos depois, o estilo que utilizei, por exemplo, em* Sem padecer no paraíso[4] *ou em* O adolescente por ele mesmo[5] *no qual descrevo e apresento até mesmo quadros*

[4] Zagury, T. *Sem padecer no paraíso, em defesa dos pais ou sobre a tirania dos filhos*. Rio de Janeiro: Record, 1991.
[5] Zagury, T. *O adolescente por ele mesmo*. Rio de Janeiro: Record, 1996.

numéricos e resultados estatísticos de estudos de campo? Seria desconhecer a realidade de quem, a cada dia, a cada minuto, deseja respostas imediatas para suas necessidades e desejos.

Como ignorar o que se conhece? Impossível para mim. Mais ainda quando se acredita que o livro que ora apresento pode subsidiar positivamente a vida de milhares de crianças (bem como de suas famílias e *cuidadores*), que estão crescendo num mundo de brilhantes progressos tecnológicos, mas que, por outro lado, têm seu aspecto mais inquietante, mesmo seu "calcanhar de aquiles", nas mudanças e na fragilização das relações afetivas e familiares.

Talvez as concepções formais apresentadas classicamente nos livros se tenham tornado um tanto anacrônicas para quem é jovem hoje. Talvez por isso se percam tantos leitores. Talvez devêssemos buscar alternativas que se mostrem consoantes e palatáveis às novas gerações. Este livro é uma tentativa nesse sentido. Mesmo correndo alguns riscos, adaptei minha escrita ao que os leitores buscam (sem, evidentemente, abandonar a base teórica necessária para transmitir saberes e competências), atendendo-lhes no que se refere a *urgência, rapidez e resultados.*

Aqui está, pois, o seu manual, caro leitor! Espero que contribua para diminuir (ou quem sabe eliminar) as guerrinhas diárias que desgastam relações e não trazem resultados.

Leia, ponha em prática já, hoje, *ontem se possível...*

Sua vida ficará mais leve, mas pode ter certeza também (e isso é o melhor de tudo) de que seus filhos estarão muito bem assistidos em suas necessidades afetivas, intelectuais e sociais.

Os temas apresentados são essenciais à formação e socialização das crianças; ao mesmo tempo são os que modernamente mais problemas e desgastes trazem ao dia a dia da família do século XXI. Metade das brigas em família poderia ser evitada se os adultos adotassem, *em conjunto*, atitudes educativas e conseguissem expurgar medos infundados (traumatizar, baixar a autoestima, podar, reprimir...).

Dias, horas, meses, semanas que transcorrem em discussões diárias desgastam relações e promovem desajustes emocionais às vezes irreparáveis. No mínimo conduzem à inquestionável queda na qualidade de vida de todos.

Muitas vezes são problemas que decorrem apenas de desentendimentos quanto à forma de lidar com os filhos, e, assim, o que poderia ser prazer e alegria acaba se tornando verdadeiro martírio. Para pais e para filhos. Desperdiçam-se, dessa maneira, momentos positivos da vida, que não são eternos e deveriam ser desfrutados em harmonia e com grandes trocas afetivas.

Se, de alguma forma, este livro evitar tais perdas, meus objetivos terão sido plenamente atingidos.

Nunca sabemos qual *esquina da vida* nos trará sofrimento *de fato*. Refiro-me aos problemas concretos, sérios e tristes, às vezes irreversíveis, aos quais todos estão expostos. Podem ocorrer conosco ou com nossos filhos.

Saber aproveitar de forma harmoniosa, inteligente e madura os momentos bons é pura arte. Que poucos conseguem concretizar, esquecendo-se de que nenhum de nós está imune às "esquinas escuras" na vida... Por isso, temos que nos deleitar e fruir quando caminhamos nas retas.

Com carinho,
A autora

Novembro/2010

Introdução

Limites sem trauma[6] fez dez anos! Foi, até hoje, meu livro com maior número de leitores. Traduzido para países como França, Itália, Canadá, Espanha, Argentina e México, entre outros, tem ajudado pais modernos em relação principalmente à questão dos limites na educação na família (e, consequentemente, na escola também).

Fico feliz em verificar que quem está criando seus filhos hoje conseguiu superar a barreira do "não". Explico: os pais não estão mais, digamos, *traumatizados com a questão dos limites na educação*, como grande parte esteve na geração anterior.

Acredito que meu trabalho como conferencista, professora e escritora colaborou decisivamente para tal superação. Meu pioneirismo foi corajoso ao afrontar um mito que se instalara a partir dos anos 1980, sob a égide do psicologismo que distorceu o conceito de liberdade, transformando a questão dos limites na educação em verdadeiro tabu.

---

[6] Zagury, T. *Limites sem trauma, construindo cidadãos.* Rio de Janeiro: Record, 2000.

E assim, passado algum tempo, aos poucos, a adesão foi se tornando cada vez maior. Hoje, fico especialmente gratificada quando encontro pessoas em locais os mais diversos que fazem questão de testemunhar e atestar o quanto meu trabalho fundamentou sua tarefa junto a filhos e alunos. Sei também, através desse contato frequente com pais em palestras e cursos, que quem está criando filhos hoje tem consciência de que o "não" é tão importante quanto o "sim" na vida de uma criança em formação. Necessário e saudável. Mas claro que não vou retornar a tema já suficientemente trabalhado por mim em várias outras obras e por outros autores que seguiram essa trilha — de 1991[7] até hoje. Para boa parte dos pais (não ainda para todos) essa discussão já não é mais necessária.

Este livro é dedicado a pais[8] que, educados com poucos limites, deparam-se hoje com a necessidade de desenvolvê-los com suas próprias crianças. Encaram a questão dos limites com bastante naturalidade, mas na prática, enfrentam o desafio de lidar com algo que não têm para

---

[7] Ano em que publiquei *Sem padecer no paraíso, em defesa dos pais ou sobre a tirania dos filhos*, livro que apresentou estudo pioneiro no Brasil sobre a relação entre pais e filhos na sociedade moderna.

[8] O livro é para **papais e mamães**! É, aliás, para todos que respeitam e gostam de Educação. No entanto, como ainda é do gênero feminino a maioria que de fato cuida e educa as crianças, optei por usar o feminino ao escolher a forma de tratamento. Não se ofendam, papais! É uma questão de justiça... Ainda.

si próprios, o que dificulta, sem dúvida, sua tarefa. O grande desafio, portanto, para a novíssima geração de pais, não é mais decidir se dá ou não limites, e sim:

Como ensinar limites?
Quando?
De que forma?

É o que, penso, encontrarão aqui: **RESULTADOS**.

1. Como fazer seu filho
COMER BEM

A alimentação dos filhos é uma grande preocupação, especialmente para as mães. Talvez porque *alimentar* é palavra com frequência entendida como sinônima de cuidar e, também, como prova de amor. Amamentar é a ação primeira de doação e proteção. Imagens de mulheres em estado de puro deleite amamentando os filhotes aconchegados ao seio, quentinhos e protegidos, é forma habitual de representar o mais puro ato de amor em nossa sociedade.

É compreensível, portanto, que mamães modernas, a maioria das quais fica longe dos filhos cerca de dez horas diárias, e desde bem pequenos (hoje 44% da força de trabalho brasileira é composta por mulheres; em outras palavras, nas últimas décadas, 40 milhões de mulheres entraram no mercado de trabalho), tentem compensar a ausência que as perturba, cuidando às vezes "além da conta" da alimentação dos filhos. Mecanismo de compensação que, em geral, confunde quantidade com qualidade. Parece que quanto mais a criança come, maior o alívio e mais atenuada a culpa que sentem.

Daí para a criança descobrir no ato de comer (sem compreender bem o "porquê") uma insuspeitada arma de barganha é um pulo... Em consequência, o que poderia ser um momento de encontro e prazer acaba se tornando um tormento, repetido a cada refeição.

Recebo apelos de mães desesperadas com a confusão que se instalou em suas vidas por não conseguirem perceber a real dimensão da alimentação. Claro que alimentar bem os filhos é fundamental, mas a hora das refeições deve ser um momento de rico encontro de troca afetiva, de forma tal que as crianças dele se recordem com prazer e saudade.

Para sair dessa verdadeira "enrascada", em primeiro lugar, é preciso ter um número mínimo de informações sobre o que importa *de fato* em termos de nutrição infantil e, a seguir, adotar medidas práticas imediatas, que ajudem a reverter o quadro.

Informações e dúvidas sobre alimentação podem ser facilmente sanadas através de uma boa conversa com o pediatra, pessoa ideal para dar orientação embasada e clara sobre a real necessidade alimentar das crianças, que varia bastante de acordo com cada fase do desenvolvimento infantil. Na maior parte das vezes as pessoas ficam surpresas ao verificarem quão menor é a necessidade nutricional dos filhos.

Sabendo disso tudo fica mais fácil, especialmente se você puser em prática o que se segue: itens ótimos para minimizar conflitos, colocar a alimentação no seu exato patamar de importância, e, além disso, acabar com o tormento da "hora da comida" (diga-se de passagem, para ambas as partes).

Partindo do pressuposto de que estamos nos referindo a crianças e adultos saudáveis (quer dizer, *que não estão com problemas de saúde*), vale saber que:

Comer bem é...

- Atender às necessidades nutricionais do organismo;
- Fazer refeições balanceadas sempre; o que significa que cada refeição deve conter os nutrientes básicos, necessários à manutenção da saúde, crescimento e harmonia corporais;
- Nunca terminar refeição com a sensação de estar "empanturrado";
- Não beliscar entre refeições;
- Não "pular refeições";
- Comer para satisfazer a fome.

Comer bem não é...

- Comer muito;
- Comer sempre que quiser e tiver vontade;[9]
- Comer apenas o que gosta;
- Atividade passível de "barganha": você pode enganar a quem quiser, mas não a si próprio. Portanto, comer mais do que o necessário, não tem jeito: EN-GOR-DA!
- Ter sempre prazer às refeições (pode até acontecer, mas nem sempre as duas coisas são sinônimas).

[9] Evitar comer quando não se está de fato com fome é medida essencial — muito embora a propaganda incentive exatamente o contrário e a regulação da publicidade de alimentos tenha sido, infelizmente, recentemente suspensa no Brasil.

Criança (sadia) que não come bem é...

- A que tem pais que *acham* que ela não come bem;
- A que vive com pessoas que ignoram que não há registro na literatura científica de crianças que morreram de fome — tendo comida a seu alcance;
- Aquela que descobriu que *comer ou não comer* é arma valiosa e poderoso instrumento de troca;
- Aquela cujos pais se desesperam quando ela diz "não quero comer", alimentando assim um ciclo vicioso de ansiedade e luta de poder;
- Aquela que, ao dizer "não quero comer", está na verdade dizendo "já comi tudo que tinha direito, antes";
- A que foi empanturrada na refeição anterior;
- Ou, por fim (o que é mais provável), a que belis-cou muito no intervalo!

Criança (sadia) que come bem é aquela...

- Cujos pais ***não*** *fazem* aviãozinho, "senão ela não come"...
- Cujos pais ***não*** andam atrás dela pela casa, desesperados, com um prato de comida numa das mãos e a colher na outra, esperando um momento de "distração", para lhe enfiar uma colheradinha a mais goela abaixo;
- Que, simplesmente, senta à mesa e... CO-ME!!!
- Que não está acima do peso.

Porque...

- Por mais estranho e incrível que pareça a alguns pais extremosos, o corpo (de crianças e adultos saudáveis, física e mentalmente) sabe de quanto alimento necessita.

- Se seu filho nunca quer comer *tudo* que você coloca no prato dele, provavelmente é porque *você* superdimensiona o quanto de alimento ele precisa a cada refeição.

- Se tiver alguma dúvida sobre isso, o melhor a fazer é consultar o pediatra e pedir — de novo — que a oriente sobre quantidades e necessidades diárias. Mas não force a criança, nem a seduza para que coma.

Vale a pena saber que...

- Do nascimento até um ano e meio, o bebê cresce e engorda muito, se compararmos peso e estatura do nascimento até então. É realmente incrível!
- Mas, depois disso, há uma queda grande nesse ritmo de aumento. O que significa que você *não* deve esperar — nem desesperar! — que ele continue crescendo tanto, nem aumentando de peso como antes; também significa que ele *não* precisa de tanta comida quanto antes. Nem de comer a toda hora (especialmente aqueles aperitivos que parecem "isopor" e seus congêneres...).
- Se você não quer ter problemas com um filhotinho obeso mais tarde, não insista para que ele coma quando não quiser. Já está cientificamente comprovado que as "células gordas"[10] se formam nos primeiros dois anos de vida e seu número variará de acordo com a quantidade e a qualidade da ingesta.
- Se seu filho é magrinho (e saudável), você ganhou um presente de Deus!

[10] Células adiposas.

- E agradeça por isso! Recente Pesquisa de Domicílios do IBGE mostrou que 20% (um em cada cinco) dos adolescentes e metade dos adultos brasileiros apresentavam excesso de peso em 2010. Na faixa etária entre 5 e 9 anos o problema é ainda mais grave: 1/3 (de cada três, uma) das crianças já apresenta o problema.

- Não confunda mãe dedicada com mãe insistente e "*entupidora*".

- Empanturrar filhos não é prova de amor. Ao contrário, é prova de culpa. Ou de conceitos inadequados sobre alimentação.

- Crianças (e muitos adultos também) são voltadas para o que lhes dá prazer, portanto, não fique admirada pelo fato de que a maioria delas queira comer exatamente o que não é tão saudável nem recomendado — mas simplesmente *saboroso*.

- Você precisa saber que, na última década, os brasileiros vêm mudando seus hábitos alimentares: cada vez se utilizam mais alimentos ultraprocessados,[11] o que contribui para o aumento da obesidade e das doenças car-

[11] Alimentos ultraprocessados são aqueles industrializados e prontos para consumo imediato. Na forma sólida costumam conter alto teor de gordura e açúcar e poucas fibras, portanto têm alto valor calórico, engordam muito mais e apresentam menor capacidade de provocar saciedade. Resultado: engorda-se muito mais ao ingerir tal tipo de produto.

diovasculares. Quer dizer: são mais gostosos — exatamente porque contêm mais sal, mais açúcar e mais calorias — e, pela mesma razão, são bem mais prejudiciais à saúde.

- Portanto, se você conseguir *eliminar em sua casa, ou diminuir ao máximo, o hábito de comer entre refeições e especialmente comer quando não se está realmente com fome*, estará adotando concretamente a atitude mais amorosa que poderia ter com seus filhos em relação à alimentação.
- É bom lembrar que grande parte dos adultos também prefere comer o que engorda, dá dor de barriga ou é "proibido". E que, se o evitamos, é porque, ao longo dos anos, adquirimos consciência da necessidade de uma alimentação balanceada e saudável. Em alguns casos, com o passar de *muitos* anos!
- Não podemos esquecer de que, no presente, somos nós os responsáveis por nossos filhos.
- Quanto ao futuro... Bem, ninguém pode garantir nada. Mas, se não tivermos formado os hábitos alimentares saudáveis que queríamos, pelo menos teremos conseguido postergar por uns belos anos artérias entupidas, obesidade, diabetes e outras doenças geradas pela ingestão imoderada de açúcar concentrado, excesso de proteínas e/ou gorduras, frituras etc.

Medidas para acabar de vez com o tormento das refeições

- *Simplesmente acabe* ou *reduza drasticamente* petiscos do tipo "malvados gostosos" em sua casa (biscoitos, doces, bombons, batatas fritas etc.).
- Petiscos são os principais responsáveis por inapetência (não causada por doença) ou por estados nutricionais inadequados e deficientes (tanto de crianças quanto de adultos).
- Se não eliminou totalmente os petiscos, mantenha-os à distância segura dos filhotes. Quer dizer: trancados com chave em armários não alcançáveis. Guarde a chave longe do alcance de mãozinhas infantis.
- Se sua família é daquele tipo que não pode assistir a um programa ou filme na tevê sem um imenso saco de batatas fritas ou de bombons ao lado, programe-se para fazê-lo quando as crianças estiverem dormindo.
- Tente, aos poucos, ir substituindo os "malvados gostosos" por pepino, cenoura crua cortados em barrinhas etc. Palmito também é uma possibilidade.

- Não comer nada vendo tevê é melhor ainda. Para a família toda.

- Sem balas, biscoitos recheados, Cheetos, esquisitos e afins entre as refeições é quase certo que a comida terá outro sabor (a fome é o melhor tempero, já diziam nossas sábias avós).

- Agora, sem culpas: vez por outra (num domingo, numa saída, num aniversário) uma *pequena* porção dos temíveis "beliscos" pode ser permitida sem problemas.

- Faça isso, porém, *depois do almoço ou do jantar.* A criança bem alimentada comerá menos desses aperitivos do que se lhe oferecer quando estiver com fome. E dessa forma você ainda evita que seu filho fique "fissurado" de vontade e saia por aí comendo todo biscoito ou bala que lhe ofereçam.

Regrinhas para refeições alegres

1. Apresente à criança pequena o prato já composto, com pequenas porções de cada elemento nutricional importante: arroz, feijão, um pedacinho de carne ou frango, legumes e/ou salada crua e, como sobremesa, frutas variadas.

2. Não faça da refeição uma obrigação — lembre-se: *come quem tem fome!*

3. Não deixe que seu filho a chantageie para comer: quase sempre tal atitude surge quando a criança percebe que pode fazer isso.

4. Nada de contar historinhas, fazer aviãozinho ou promessas do tipo *"se comer tudinho"*...

5. Quando a criança pequena disser que não quer mais, ou der mostras de que está saciada, certifique-se perguntando — com calma e sem ansiedade. Se ela confirmar, retire o prato. Sem hesitar. E não volte atrás.

6. Não ofereça nada até a próxima refeição — mesmo que a criança peça.

7. Se a criança rejeitar a refeição toda, quer dizer, não comer absolutamente nada, você pode encurtar o intervalo da próxima. Não significa oferecer comida de cinco em cinco minutos, até que ela, afinal, graças a Deus, aceite lhe dar o grande, o enorme prazer de se alimentar! Nem significa esquentar e colocar de novo a comida no prato dali a dez minutinhos ao ouvi-la dizer com a cara mais limpa "*agora eu quero!*". É bem provável que se trate de manipulação, a não ser que ocorra poucas, bem poucas, vezes.

8. Na refeição seguinte, caso a criança tenha comido menos que a metade do que foi oferecido na anterior, prepare o prato com os mesmos nutrimentos da refeição anterior — *mas não aumente a quantidade*; seguramente, agora, ela comerá mais.

9. Se a criança disser que está com fome, ainda que esteja próxima a hora da refeição, não "corra alucinadamente" trazendo-lhe o prato. Vá com calma, esquente, "embrome um pouquinho" — assim a fome aumenta e ela come mais.

10. Não pense que a estratégia de educação alimentar não funcionou se nas primeiras vezes as coisas não melhorarem. Adquirir maus hábitos é mais rápido do que perdê-los. Quanto mais tempo você tiver permanecido em situação de chantagem, mais demorará

para sanar o problema. Contudo, vai sanar. Tenha calma. Persista. Seu filho está testando o quanto você quer mesmo mudar a situação. Esperto, não?

Não desista de agir dessa forma!

Para não errar

- Aja como se não fizesse a menor diferença seu filho comer ou não (mesmo que seja difícil; mesmo que seja uma total inverdade).
- Às refeições, procure manter clima e ambiente amenos: sem raivas, insistências ou "broncas". Em qualquer idade!
- Não inculque culpas também, por favor! *Anorexia, bulimia, obesidade mórbida* podem se originar nessas circunstâncias, caso a pessoa tenha tendência.
- É importante que a criança aprenda a ver a comida e as refeições como uma atividade normal do dia a dia — algo de que necessita para viver. E não como elemento de barganha.
- Criança adora exercer poder sobre os pais. Por isso fazem gato e sapato em relação à comida. Se permitirmos, é claro!
- Evite compensações do tipo "supermamadeira" enriquecida com maisena ou outros tipos de "*cevador de*

criancinha", quando ela não tiver comido tudo que você sonhava. Seu filho logo perceberá e — se é disso que ele gosta mais — não aceitará uma refeição balanceada e com os variados nutrientes necessários a um bom hábito alimentar; ele terá certeza de que mais tarde ganhará o que quer.

- Não se esqueça: Nem sempre o que a criança quer é o melhor para ela em termos alimentares.

- Em caso de doença (viroses, infecções etc.), algumas regras devem ser flexibilizadas. A falta de apetite, nesses casos, tem outras causas. São momentos em que se *pode e deve agir de forma a evitar* que a criança fique debilitada. Mas não force, ainda assim. Se puder, ela comerá.

- Nunca demonstre ansiedade com o "*pouco que seu filho come*". **Especialmente, não comente o assunto quando ele estiver presente ou puder ouvir.**

- Aos poucos a criança entenderá que comer é uma atividade que satisfaz necessidades — e não desejos.

- Se ele já está na creche ou na pré-escola, o lanche deve ser nutritivo, mas também atraente e saboroso: um sanduíche natural, por exemplo, e para beber, suco de frutas.

- Evite refrigerantes, bombons, frituras e balas em casa e na escola. Nos finais de semana pode ser (um pouco) mais liberal, assim como nas saídas para restaurantes, festinhas etc.

- Se seu filho fica brincando com a comida, desperdiçando e sujando tudo, é sinal de que ele ainda não estava com fome. Retire rapidamente o prato. Reserve. Reapresente-o novamente no mínimo 40 minutos depois. Repita a operação se ele ainda assim não comer.

- Procure lembrar os ganhos de sua atitude a cada semana que passa. Só para dar uma ideia de como isso funciona bem: três refeições saudáveis e equilibradas seis dias por semana significam: 18 refeições nota dez (contra uma ou duas cheias de deliciosos venenos). Por mês: 72! Por ano: 864! Que maravilha!

- Se puder, evite dar dinheiro para seu filho comprar merenda na escola. Ainda é frequente a presença de biscoitos, balas e comidas não nutritivas nas cantinas escolares, embora a cada dia seja maior o número de colégios que se preocupa e age, do ponto de vista nutricional, de forma absolutamente adequada. Neste último caso, viva a cantina!

- Obesidade, colesterol elevado,[12] diabetes e outras doenças ligadas à nutrição têm aumentado muito até entre crianças e jovens. Portanto, essas atitudes não são repressoras. São, pelo contrário, puro amor, amor

[12] Hipercolesterolemia.

de verdade, porque possibilitam crescimento sadio e formação de hábitos adequados, aumentando as probabilidades de um futuro saudável para quem tanto amamos.

Sua casa não é restaurante! Todos devem comer o mesmo cardápio.

2. Como acabar com CHILIQUES

Gente! Tem coisa mais desgastante do que um filho criado com tanto amor, por um nada, uma coisinha à toa, se jogar no chão — e, *na frente de todo mundo*, começar uma choradeira aterradora, fazer um escândalo daqueles? Ai, que vergonha que dá!

E você não brigou, não bateu, não botou de castigo, nada! Só disse ***não*** para um pedido absurdo — tipo comprar o quinto brinquedo numa mesma e inocente ida ao shopping...

E o pior é que junta gente para opinar, sussurrar, lançar olhares terríveis para você, sua mãe desnaturada! Que situação! Vontade de sumir... O que fazer?

Gritar junto?
Sacudir?
Dar um beliscão, disfarçadamente?
Ter um chilique também e se jogar no chão?
Fugir correndo e nunca mais voltar?

Nada disso! Você vai ver: é simples até demais!

Vou ensinar — mas antes você tem que se prometer que vai fazer exatamente o que está descrito a seguir, certo?

Ah, mais uma coisa: você tem que estar perfeitamente convicta de que quer mesmo acabar de vez com esse tipo de situação, de que quer *mesmo* que a vida seja harmônica, e sem desgastes desnecessários. É o sonho de todos, não?

Para ler e pensar, antes de começar a vencer o chilique:

- A criança que é atendida em tudo quando chora, grita, insiste ou esperneia tende a perpetuar esse tipo de conduta. Se você entrar no esquema vai aguentar muito grito no dia a dia; e depois vai piorar, porque poderá sofrer agressões mais sérias.
- O que se acha engraçado e se aceita numa criança de até três ou quatro anos torna-se no mínimo incômodo aos seis ou sete. E até você, que a adora, vai estar completamente acabada em quatro anos de chiliques, chutes e teimosia sem fim (imagine os outros)!!!
- Se você não quer acabar com sua própria tranquilidade pelo resto da vida, terá que se esforçar um pouquinho hoje, para poder usufruir amanhã.
- Muitos pais hoje são tão imediatistas quanto seus filhos — querem tudo *para já*. Mas, em educação, não dá pra ser assim. Tem que repetir mil vezes a mesma coisa para funcionar.
- Conquistar respeito é difícil. Perdê-lo é fácil até demais... Portanto, pense bem antes de decidir o que

vai proibir ou conceder. O caminho de ida é fácil — o da volta, nem tanto!

- Não mude as regras como quem muda de roupa — a criança aprende que você é incoerente...
- Só diga sim ao que pode *MESMO*...
- "Ser maneiro" é uma delícia, sem sombra de dúvida (para eles e para nós). Mas entenda que dar muita "moleza" (mimo excessivo, muita facilidade, superproteção, enfim, boa vida em excesso) vicia, desequilibra e faz a criança perder contato com a realidade.
- E a realidade é: seu filho vai viver muitos mais anos longe do que grudadinho a você. Outras pessoas não terão com ele a boa vontade que você tem. Nem um milésimo, aliás... E aí como será que ele vai reagir? Vai se atirar ao chão e espernear quando o chefe no trabalho lhe negar o aumento que pediu?
- Convencida? Sim? Então vamos aprender a fazer...
- E se não estiver, volte e leia novamente o capítulo — desde o início.
- Tente buscar argumentos internamente, que refutem o que apresentei.

Ou então, deixe o livro de lado — e vá atender seu filhinho que está destruindo a casa! Corra!

O que é o chilique

Seu filho está tendo uma *crise*!

Ai, meu Deus! De novo!

A *crise* pode se apresentar de várias formas:

- Jogou-se no chão e está gritando como louco;
- Está estendido no chão, todo duro, rodopiando feito pião;
- Está batendo com a própria cabeça na parede!
- Avançou para cima de você e está batendo, mordendo e gritando!
- Está chorando muito alto, sem parar, e parece que vai perder o fôlego!

Essas são as formas mais comuns, mas podem surgir outras, já que nossos filhinhos são incrivelmente criativos quando se trata de conseguir o que querem! Assusta, não é? Mas pode ter certeza, criança alguma morre sufocada se tem ar a seu redor, assim como também não há registros (desde que a criança não esteja com nenhuma outra doença) de alguém que, espontaneamente, quebrou a cabeça só para aborrecer papai ou mamãe.

Bem, mas você sabe — e quer — corrigir esse comportamento para não se tornar hábito e (mais importante) para evitar consequências negativas no futuro (a esse respeito leia *Limites sem trauma*, de minha autoria).

O que fazer?

Não é nada difícil. Mas é preciso entender que:

- A criança tem esses, digamos, "ataques" de raiva, porque ainda não controla seus sentimentos. Tem adulto que não controla, não é mesmo? Imagine então uma criancinha.

- Aprender a dominar sentimentos — especialmente os mais fortes como raiva e inveja — é difícil e gradual. E, por ser tão difícil, a ajuda dos que cuidam da criança é fundamental. É preciso, porém, saber como ajudar. É um campo a ser explorado por você mamãe e por você papai (ou por quem cuida dela).

- Com cada filho, o que vai funcionar melhor poderá ser diferente. É por isso que afirmo que é um campo a ser explorado. Com algumas crianças só de você se afastar dela enquanto ela grita e esperneia é suficiente para interromper o processo; com outras, abraçar e falar baixinho ao ouvido "calma, querido, calma", poderá funcionar melhor. Você terá que descobrir isso na prática.

- Sendo, como é, aprendizagem complexa, leva tempo para acontecer. Em outras palavras: seu filho poderá precisar de três semanas ou três meses, dependendo de como você atua — e também de como é a personalidade dele.

- Ajudar e compreender, no caso, não é seguramente fazer o que ela quer para ela parar logo de espernear.

- Pelo contrário, é agir com segurança e afeto, mas sem ceder à gritaria ou choradeira.

Como interromper ataques de raiva de forma eficiente

- Afaste mesas, cadeiras e objetos próximos, com os quais seu filho possa se chocar e se machucar.
- Fale em tom de voz normal, calma e pausadamente mas firme, nem alto demais nem aos berros. No tom necessário para ser ouvido e compreendido: "isso não é bonito, não está certo e não vai adiantar nada!".
- Importante: faça isso *apenas uma vez*. Lembre-se: ele ouvirá mesmo que não pareça.
- Seu filho vai responder de forma adequada assim que perceber que você sabe e acredita no que está fazendo (o que implica agir sempre da mesma maneira, até o chilique desaparecer).
- Aja da forma indicada logo que o chilique começar. Quanto mais tempo a criança grita e esperneia, mais irritada e descontrolada fica — e, portanto, mais difícil de reverter a atitude.
- Se o ambiente onde a criança está é seguro (na sala ou no quarto da casa, por exemplo, e longe de objetos que

a possam ferir), você pode inclusive se retirar para outro cômodo.

- Provavelmente seu filho a seguirá (sem chilique algum, incrível!) e começará todo o processo novamente assim que estiver frente a frente com você.
- Continue a agir do mesmo modo.
- Mesmo que você o esteja observando, faça-o com o rabo de olho — mas não deixe que ele perceba.
- Se estiverem em local onde não possa deixá-lo sozinho (no shopping, na rua, no parquinho) adote a seguinte atitude: *Não faça nada!*
  - Apenas aguarde ele parar de chorar, espernear ou gritar.
- Se estiver em casa, finja ler ou assistir a tevê (deixe num volume baixo, para não enlouquecer com gritaria e som alto, ainda por cima).
- Não demonstre nenhum sentimento: enfado, raiva, zanga ou pena. Também não ria (às vezes é engraçado mesmo!), não deboche, não grite, não faça cara de zangada e nenhum gesto em direção a ele; mantenha-se impassível (você já disse que não ia adiantar, não é? Mantenha a sua palavra).
- Fique impassível, apenas isso.

- Depois de algum tempo, seu filho vai parar com o chilique. Pode ter certeza.
- Se você repetir esse comportamento sempre que o chilique ocorrer, em algumas semanas ele vai abandonar esse comportamento.

Como agir quando o chilique passa

- Depois que o "ataque" termina é comum a criança vir para perto dos pais. Às vezes, como se nada tivesse acontecido; outras, ainda soluçando, com nariz escorrendo ou com lágrimas nos olhos.
- *ATENÇÃO!* Não demonstre que está morrendo de pena.
- E não se sinta culpada!
- Se você fizer isso, o processo volta à estaca zero.
- Então como agir? *Como se nada tivesse acontecido.*
- Se ele estiver com o nariz sujo, limpe. Se estiver com o rosto molhado de lágrimas, enxugue. Com afeto, mas sem aprovar, nem reprovar.
- Muita explicação é confundida com "in-se-gu-ran-ça" pela criança (e cá para nós, muitas vezes é mesmo!).
- E se for, basta lembrar: tudo que é excessivo faz mal (muito doce, muito paparico etc. Sabia que até ingerir água demais faz mal? Pois faz! Pergunte ao seu médico... ele vai confirmar!).

- Você não está tratando mal — você o está *educando para um futuro de equilíbrio.*
- E provendo relações saudáveis entre pais e filhos!

Para não errar

- Depois de algum tempo sem chiliques, pode haver uma "recaída" (por parte da criança!), então...
- Aja do mesmo jeito.
- Se os chiliques continuarem além do que seria de esperar (no máximo de dois a três meses a partir da mudança de atitude dos pais), reavalie: será que você está realmente fazendo tudo como foi recomendado?
- Avalie com coragem: não estará fazendo como recomendado *apenas algumas vezes e em outras cedendo à choradeira ou demonstrando insegurança?*
- Tente pensar e rever todo o processo. Se for necessário pergunte a quem acompanhou tudo, desde o início. Às vezes é difícil ter clareza quando se está inserido no processo.
- Se concluir que houve falhas e que demonstrou insegurança algumas vezes, não tem problema. Há solução: volte ao início do capítulo e comece tudo de novo. Mas lembre-se: Você está recomeçando a partir de

agora. Portanto, é tudo de novo mesmo! Inclusive o tempo para os resultados aparecerem.

- Vai dar certo. Não desanime. Quase sempre nossos filhos são o que fazemos deles...

3. Como DORMIR em paz (mesmo tendo filhos)

Hora de dormir!

Quem não tem filhos não pode nem imaginar o quanto dormir uma noite inteirinha é bom! Bom é pouco — é o paraíso...

Claro, passar noites acordada no início, tudo bem, é esperado: mamadas a intervalos curtos, xixi, as golfadas, o medo de o bebê se sufocar, a adaptação e a reorganização familiar, a ansiedade por dar conta de tudo além da recuperação pós-parto nem sempre fácil. É muita mudança! Até a babá (quando se pode ter) é novidade, porque é uma pessoa estranha na casa. Tudo é novo. Se for o primeiro filho, todos vão lhe dizer que é assim porque é o primeiro; se for o segundo ou o terceiro, vão lhe dizer que é porque tem os outros... Nada disso importa, porque sempre há e haverá uma ou várias razões.

O problema real e concreto começa mesmo decorrido algum tempo; em geral, meses depois do nascimento. A rotina já se instalou: você está recuperada, a casa organizada, as visitas começam a rarear, as vovós se foram para suas próprias casas. O bebê é tão lindo, tão fofo e precisa tanto de você! Dá prazer (e certo medo também) se descobrir tão vital para alguém. Pura emoção!

Mas depois de meses acordando de hora em hora ou nem dormindo... Dá um *cansaço*!

Se fosse só o dia todo correndo atrás daquele *bólido engatinhante*, evitando que se machuque, que destrua a casa toda, que coma o besourinho que entrou pela janela, que não bata com a cabeça na quina dos móveis, ainda vá lá. Contanto que, depois das dez da noite (para não ser muito ambicioso), ele dormisse até de manhãzinha, até cinco da manhã já seria genial...

- Parece sonho impossível?
- Delírio?
- Não, não é.
- Que delícia! Pode mesmo?

Pode sim, mas (lá vou eu de novo, por favor, não se zangue) depende de *você!*

As crianças de hoje não querem dormir! Elas são diferentes, me dizem os pais, chorosos.

Respondo: Querem dormir sim! Só que elas próprias nunca sabem disso...

E, por incrível que pareça, muitos pais também não.

Importante saber

Até quatro ou cinco anos é importante a criança dormir cerca de dez horas por noite. Sem contar uma ou outra soneca eventual durante o dia.

Essas dez horas têm importância para o desenvolvimento infantil sob vários aspectos. Com o tempo a necessidade de sono diminui, mas não para menos do que oito horas/dia, índice que se mantém até a adolescência inclusive.[13]

Além de favorecer o crescimento,[14] o repouso noturno regular recompõe energias — que as crianças gastam aos montes durante o dia —, mas o melhor vem de quebra: criança que tem uma boa noite de sono tende a passar o dia mais tranquila, menos chorona e renitente.

[13] Algumas pessoas têm realmente necessidade menor de sono, bastando-lhes cinco ou seis horas por dia para ficarem inteiramente descansadas. Mas é uma minoria. No livro adotei sempre como base a média geral, que, no caso, costuma ser de cerca de oito horas por dia, até a chegada da terceira idade, quando costuma ir diminuindo.

[14] O hormônio do crescimento, somatotrofina ou GH (*growth hormone*), é uma proteína; é sintetizado e secretado pela glândula hipófise. Este hormônio estimula o crescimento e a reprodução celulares em humanos e outros animais vertebrados. O sono é um dos estimuladores da produção do GH.

Muitas crianças dormem pouco ou mal porque não desenvolveram bons hábitos de sono, que, como quase tudo que o homem sabe e faz, é comportamento aprendido.

Isso mesmo: dormir bem (quando se está saudável) também é hábito. E, como Roma não se fez em um dia, bons hábitos de sono também não.

Para formar esse comportamento salutar é preciso seguir uma rotina diária, que começa um pouco antes de chegar a hora de colocar a criança na cama.

Quer aprender? Vamos lá!

Formando o hábito de sono regular

- Acostume seu filho a ter uma hora certa para ir dormir.
- Respeite esse horário o mais que puder: tanto você como as demais pessoas que cuidam dele. Assim, pouco a pouco, ele começará a ter sono nesse mesmo horário.
- Como todas as pessoas normais, um dia ou outro o sono poderá surgir um pouco mais cedo ou mais tarde; afinal seu filho não é um relógio.
- Nessas ocasiões, percebendo seu filho sonolento uma ou duas horas antes, procure evitar aquela cochilada gostosa, mas que pode atrapalhar o hábito que você está tentando desenvolver.
- Faça isso sem sacudi-lo, sem brigar ou gritar. Adote atitudes positivas, por exemplo: proponha-lhe uma atividade da qual ele goste; se for com você junto, melhor ainda: ficar brincando com mamãe ou papai é convite irresistível para quase todas as crianças pequenas.
- Postergue assim o adormecer com uma ação de alto poder afetivo e relacional.

- Em algumas ocasiões, desde que não seja com frequência enquanto se está formando o hábito, você pode e deve ter flexibilidade (jantar de aniversário do padrinho, por exemplo). Afinal, muita rigidez também não é aconselhável. Mas, de preferência, evite alterações nesse período inicial a não ser que seja realmente importante.

- Mais ou menos meia hora antes de dormir leve-o para se trocar, escovar os dentes, lavar as mãos etc. Vá com ele, acompanhe-o nesse ritual, especialmente se você fica o dia todo fora de casa.

- Esses momentos devem ser gostosos e sem estresse, para que seu filho os veja chegar com prazer. Por exemplo: "cantar a canção de dormir". Se você não sabe nenhuma, invente ou tente se lembrar de algum *jingle*, como aquele que havia na tevê: "já é hora de dormir, não espere mamãe mandar..." Cante sempre a mesma música, estimulando-o a fazer o mesmo — assim cria-se uma espécie de ritual que acaba virando um sinal de que ele vai dormir daqui a pouco.

- Depois disso deite-o com carinho, apague as luzes deixando apenas uma, suave, e que não incida diretamente nos olhos dele.

- Ao colocá-lo na cama, comece a falar baixinho para ir criando ambiente propício ao sono.

- Conte uma historinha, se ele estiver muito desperto ou fizer resistência a se deitar; se souber alguma de cor, ótimo. Assim ele não ficará com vontade de ver as gravuras ou de se levantar para olhar o livro.

- Se não souber nenhuma de cor, leia, mas utilize a mesma luz suave e apenas iluminando o texto; fale pausadamente e evite grandes interpretações (deixe seu talento interpretativo para outros horários).

- Comunique (*não peça*) sem agressividade, mas com segurança, que contará *apenas uma historinha*;

- Se a história for longa, você pode contar em capítulos, um a cada noite.

- Quando terminar, dê-lhe um beijo (caso esteja ainda acordado) e saia sem fazer ruído, mas com naturalidade.

- Se ele ainda não estiver dormindo, poderá reagir à sua saída chorando ou se levantando — é natural.

- Volte uma vez (apenas uma) e fale com carinho, mas firmemente, e sem tirá-lo da cama: *Está na hora de crianças bonitas e obedientes como você dormirem. Amanhã a nossa historinha vai continuar, mas hoje acabou.*

- Saia do quarto, sem bater a porta, acender luzes ou relutar. A criança percebe facilmente quando os pais estão relutantes e volta a insistir.

- Se você estiver iniciando o processo, vai verificar que essa forma de agir costuma funcionar muito bem.
- Se, porém, for caso de reeducação ou correção de conduta anterior, saiba que os resultados não serão imediatos.
- Traduzindo: você foi deixando rolar e agora quer implantar a hora de dormir — então você quer que seu filho faça o que não fazia. É normal que ele reaja e relute em aceitar. Por quê?
- Simples: ninguém gosta de perder privilégios. Se antes ele podia dormir quando quisesse, aceitar dormir na hora que a mamãe determinou será encarado como perda. Claro! Antes ficava até tarde com os pais. Agora, de repente, querem que vá dormir "antes dos outros".
- Mas não se preocupe. Ele não está "traumatizado". Só que é inteligente e está tentando não perder o que percebe como um privilégio que lhe estão negando.
- Você não está fazendo nada de abominável ou condenável. Só está organizando suas vidas.
- Se, no entanto, você se sentir assim, quase uma bruxa, volte ao início do capítulo — e se reassegure de seus propósitos.
- Aja com afeto e segurança, mas não espere que tudo caminhe completamente sem nuvens ou trovoadas no horizonte.

- Seu filho poderá ranzinzar umas semanas ou, dependendo das características individuais, até mesmo "fazer um escândalo" daqueles que nos deixam com medo de os vizinhos chamarem a polícia... Mas se você não gritar, não o agredir, nem agir como se tivessem a mesma idade, tudo acabará bem.

- Não o ameace com castigos nem prometa presentes se ele dormir. Simplesmente diga *uma vez apenas e de forma clara e pausada* (isso ou algo do gênero): *querido, mamãe quer tudo de bom para você, mas agora bom é dormir. Então não vai adiantar essa gritaria e choradeira. "Durma bem; amanhã vamos brincar muito."*

- Com isso — e se você não ficar voltando ao quarto de 2 em 2 minutos —, em alguns dias ou semanas isso acabará.

- Quanto mais você falar (enquanto ele grita e chora), explicar, ir, voltar, tornar a ir, mais ele ficará convencido de que tem razão em fazer cena: você está lá, no fim das contas.

- Quanto mais tempo tiver ficado sem horário para dormir, mais tempo levará a recondução do processo.

- Por outro lado, se você tiver firmeza e não titubear, seu filho rapidamente compreenderá que não haverá volta. Quando isso ocorre, a reação da criança diminui e ela começa a aceitar o novo horário.

- **Importante**: quando ela finalmente dormir ou parar de chorar, não faça alarde no dia seguinte. De preferência, nem toque no assunto. Aja como se tudo tivesse sido completamente natural.

> ***E lembre-se: Foi mesmo natural. Dormir sem criar confusão É natural!***

Para não errar

- *Como saber qual a melhor hora para a criança ir dormir,* perguntam-me com frequência os pais. Certamente não é aquela em que *você* está cansada de ficar com ele, com vontade de ir à academia ou livre para ver a novela... Especialmente se a canseira aparece às seis da tarde. Para você pode ser a melhor. Mas vai ser um problema tentar fazer a criança dormir numa hora improvável.
- Sei; é cansativo lidar com crianças, mas equilíbrio é fundamental. Não apenas beleza, como dizia Vinicius...[15]
- Dos dois anos até os seis, 20 ou 21h (o mais tardar) é horário bem plausível.
- Lembre-se de que, se você acostumar seu filho a esse horário, e ele dormir oito ou dez horas, estará despertando entre quatro e seis da manhã. O que é muito razoável, maravilhoso até, para quem tem filho pequeno.
- Agora, se você estabelecer dormir às 18h — como você e quase todos os pais desejariam ou já desejaram em

[15] Vinicius de Moraes, compositor e poeta, em "Receita de mulher".

algum momento — não estranhe se às duas da manhã seu filhote acordar com carga total! "Desligar" crianças às seis da tarde pode parecer tentador, mas nunca se esqueça do que virá depois. Escolha, portanto, um horário que favoreça a criança, não o seu desejo imediato.

- Depois que o hábito está instalado é possível, de vez em quando, atrasar ou adiantar um pouco esse horário. Não precisa ser rígido demais.

- É natural que os pais fiquem morrendo de medo de botar tudo a perder, depois do trabalho que deu, e, por isso, alguns começam a ficar tão preocupados que a vida em família vira uma espécie de repartição — cheia de horários rígidos...

- Embora esse temor seja compreensível, pode confiar: se, de vez em quando, a hora de dormir for postergada ou antecipada por meia, uma hora, a criança não terá problema algum em voltar ao horário estabelecido (claro, se for de vez em quando).

- Tem uma festa importante em família? Vá em paz e leve seu filho. Viver em família é tão ou mais importante e saudável quanto criar bons hábitos de sono. Tem gente que fica tão feliz, mas tão feliz quando a criança vai dormir, que por nada nesse mundo quer arriscar essa conquista. Em função disso, não permite nenhuma alteração na rotina. Lembre-se de que conhecer a família e interagir com ela é tão essencial quanto dormir bem e na hora certa.

- Use o bom senso para distinguir o que é ou não uma ocasião importante. Exemplo: Jantar de Natal com toda a família reunida? Importante sim, a criança estar presente; para ela e para a família. Aniversário da vovó ou do vovô? Também. Jantar na casa de um primo adulto que é muito seu amigo, alegre e divertido, mas não tem nem filhos? Não vale a pena mudar o horário; mas, se for possível e você tiver infraestrutura, deixe-o em casa, vá e divirta-se.

- Agora, pense duas vezes antes de decidir ir à balada ou jantar fora, levando a criança, porque você não aguenta mais ficar em casa (e olha que seu filho está com apenas oito meses!).

- Alterações de horário da criança pequena podem e devem ocorrer quando for para atender a situações de fato importantes. Evite fazê-lo todo sábado, domingo, feriados, vésperas de feriados etc. colocando a criança pequena no carrinho e estacionando-o em shopping, restaurantes, festas em barezinhos e outras badalações do tipo.

- Infecções, resfriados, estresse por poluição sonora e ambiental devem ser considerados fatores de risco ao bem-estar da criança. Dormir horas a fio em locais barulhentos, num carrinho cujo espaço limita os movimentos, não é adequado nem necessário, especialmente se a ocasião for uma das descritas no item anterior.

- Dar limites é importante — e muito. Mas limites importantes são aqueles que têm um sentido educacional e social e que não implicam sacrificar as *necessidades* da criança aos *desejos* dos pais.

- Zelar pela integridade física e emocional dos filhos é um *dever* dos pais. Abrir mão de alguns interesses pessoais em prol do bem-estar da criança é parte desse conjunto.

4. Como ter filhos EDUCADOS

Quando um adolescente abre a porta do elevador e aguarda gentilmente até você entrar, em vez de ignorar a fila, passar a sua frente sem ao menos perceber que você existe e, ainda por cima, ir entrando com tudo, é inevitável sentir alívio, prazer e pensar que o mundo afinal tem jeito...

Se você esbarra numa pessoa, pede desculpas, e ela lhe responde com um sorriso *"não foi nada"*, a gente sente que ganhou o dia...

Se você está num elevador lotado e uma das pessoas lhe pergunta gentilmente *qual o seu andar*, sem nem precisar pedir, você olha duas vezes para se convencer de que ela não é mesmo o ascensorista...

Se alguém lhe dá uma fechada no trânsito e, a seguir, buzina para lhe fazer um aceno simpático pedindo desculpas, você arregala os olhos, enxuga o suor que já lhe escorria, pensando que ia ouvir milhões de palavrões, desaforos ou até, quem sabe, levar um tiro, e fica pensando *nossa, ganhei o dia...*

E, embora a gente não esbarre com pessoas gentis a todo momento, todos os dias, elas existem de fato. É uma delícia topar com elas, não?

Como e de onde elas surgiram? De outro planeta?

Claro que não; são daqui mesmo do planeta Terra. Do Brasil. Infelizmente, porém, é bastante comum ouvirmos alguém dizer (flagrante injustiça): *"Ah, com certeza, esse não é daqui!"*.

Que triste mania tem parte dos brasileiros de se menosprezar... Aqui ou em qualquer lugar existem pessoas legais, gentis e educadas, e outras nem tanto.

O que importa lembrar, no entanto, é que tanto umas como outras não nasceram prontas.

Ocorre que umas receberam orientação e cuidados de quem as criou — e assim, ao longo do tempo, aprenderam a respeitar e tratar a todos com educação e gentileza. Em geral, também foram tratadas assim.

Outras pessoas não tiveram a sorte de conviver em ambientes em que as pessoas não apenas se respeitam, mas ensinam às mais novas a respeitar umas às outras.

Como venho afirmando todo o tempo, a maioria das coisas que o homem é ou faz — sejam boas ou más, adequadas ou inadequadas socialmente — é aprendida, quer dizer, resulta das experiências que se teve, especialmente na infância.

As pessoas finas e educadas, que dão tanto prazer a quem com elas convive, são assim porque *alguém* se deu o trabalho de ensiná-las. Esse alguém, na maior parte das vezes, é a mãe (e o pai). Ou quem cuida delas.

Isso mesmo! Ninguém "nasce" educado. Nem mesmo os que se convencionou chamar "de sangue azul" — príncipes, reis e seus descendentes — são diferentes. Somos todos iguais uns aos outros: nosso sangue é vermelhinho. E até mesmo reis e princesas podem não ser educados.

Portanto, se você quer que seus filhos sejam aqueles cavalheiros ou damas dos sonhos, comece a batalhar por esse objetivo hoje mesmo. Ter filho educado é trabalho de quem os cria. E hoje muitos esquecem que essa é uma tarefa que se começa cedo. Não perca um minuto, portanto. Formar hábitos é processo lento, como já foi dito aqui; não se pode, portanto, deixar o tempo passar.

Para começar a aprender,
é só virar a página.

Entendendo o processo

Quase tudo que a criança aprende (especialmente nos primeiros anos de vida) é por imitação. E elas imitam mais quem convive com elas diariamente.

Por isso: *bom exemplo neles!* Ainda é o melhor método para educar.

Hoje, desde bem pequenina, um aninho apenas, a criança pega um telefone celular que esteja ao seu alcance e, com toda a intimidade, aperta teclas, coloca ao ouvido, finge falar com alguém inexistente do outro lado da linha e, a seguir, enfia o dito-cujo na boca de quem estiver por perto... Nem sombra de medo ou insegurança. Esse medo que vemos em pessoas de mais idade não existe para as crianças do século XXI.

A sua volta, assistindo a tal prodígio, todos comentam: *nossa, que inteligente! Imagina só, que coisa, desse tamanho e já sabe usar o celular...*

Papais e mamães se derretem diante desses elogios e, convictos de que seu filhinho é um verdadeiro gênio, são todos sorrisos.

No entanto, é essa mesma "genialidade" (não vamos entrar no mérito da questão), e apenas essa, que uma criança precisa ter para aprender, por exemplo, a não empurrar alguém quando quer passar. A mesmíssima e nada mais que isso, igualzinha!

Aí vocês devem estar matutando, *mas então, se só precisa disso, por que eles não aprendem depressa também, sem dar trabalho e sozinhos, por exemplo, a escovar os dentes e ir dormir na hora adequada?*

Pela simples razão de que para falar ao celular (a cada dia mais atraente, cheio de bossa e estilo) existe a fundamental e insubstituível presença de um fator importantíssimo, a MOTIVAÇÃO.

O que faz diferença é exatamente isso: aprender a jogar um joguinho no computador é atividade automotivadora em quase 100% dos casos — especialmente para crianças.

Em contrapartida, aprender a dar "bom-dia" pela manhã e "boa-noite" sempre que se vai dormir; a pedir licença para passar; esperar o outro acabar de falar sem interromper; a lavar as mãos (e bem lavadinhas) antes das refeições ou após usar o banheiro *não são atividades automotivadoras*. Pelo contrário: são "chatas"! Claro, é muito mais fácil e atraente interromper o papo da mamãe com a vovó, e assim conseguir logo o que se deseja, do que esperar pacientemente até que a conversa termine (*às vezes, demoooora!*) e ela possa lhe dar atenção.

Entendeu? Tem adulto que até o final dos dias não consegue aprender essa e outras regrinhas que tornam a vida em grupo possível e agradável. Como esperar então que a criança adore ser educadinha, ame pedir licença etc. se vai contra o seu interesse imediato?

Ser educado, em resumo, é aprendizagem até certo ponto difícil, porque exige colocar a própria necessidade (ou desejo, aqui no caso não importa[16]) em compasso de espera, ou, em outras palavras, postergar o que traria satisfação imediata em prol do bem-estar geral. O que vai contra o hedonismo natural do ser humano. Tem, portanto, que ser aprendido; e custa algum esforço, porque demanda dominar sentimentos e tendências naturais.

Por que a criança resiste muitas e muitas vezes ao que você está tentando ensinar? Porque provavelmente aquela aprendizagem não tem sentido para ela: vai contra a sua *forma natural* (inata) de agir. Sim, é isso mesmo: ser educado é um processo de aprendizagem de hábitos que contraria o que o ser humano faria espontaneamente.

Imagine um grupo de pessoas sentadas à mesa, aguardando comida. Depois de certo tempo, alguém coloca uma travessa com pedaços de frango ao centro. A tendência (de quem está saudável e com apetite) é avançar e

[16] A esse respeito, leia *Limites sem trauma*, p. 87, "Necessidades e desejos".

"salvar" ao menos um pedaço para si. Faz parte do instinto de sobrevivência. Não é "feio", nem errado, é instintivo.

As regras da boa educação mandam, porém, que cada um ceda a vez ao outro e que não haja atropelos. Mais: quem é bem-educado evita arrebanhar o último pedaço...

É isso que torna necessário motivar (no sentido de ter uma razão, um motivo para agir dessa ou daquela forma) a criança para proceder dentro das regras sociais. Caso contrário, ela agirá espontaneamente.

Tempos atrás, conseguia-se que os filhos obedecessem rapidinho, porque os pais sempre podiam usar (ou ameaçar) a vara de marmelo ou o cinto. E nas escolas, a palmatória... Forma de convencimento sem dúvida eficaz (não estou aprovando, apenas mostrando por que hoje temos que usar outras maneiras de persuadir). Agora queremos que nossos filhos aprendam sem medo, sem pancadaria e até mesmo sem as famosas "palmadinhas no bumbum".

Então, se não se age de forma a que haja *motivação para aprender*, é quase certo ter muito, mas muito trabalho — e, o que é pior, talvez não se tenha sucesso.

O segredo, portanto, é...

Como fazer seu filho querer ser educado

Este é um segredo que tem três faces. A primeira é *o exemplo.*

Se em sua casa isso ainda não se faz habitualmente, comece já, agorinha, a pedir licença quando precisar interromper uma conversa; quando quiser passar e alguém estiver bloqueando o caminho; seja essa pessoa seu marido, o porteiro ou a faxineira.

Claro que você faz isso, mas em casa, às vezes, as pessoas têm tanta intimidade que até esquecem, na pressa de todo dia... Mas não se deve e não se pode esquecer. Pelo bem da convivência e pelo bem dos nossos filhos, que a tudo veem e a tudo assistem.

Então, a primeira das três faces do segredo não é difícil: *ser exemplo!* Talvez seja a mais importante, porém.

A segunda, e que dá excelentes resultados, é *elogiar.*

Quando a criança pequena pega o celular pela primeira vez e imita o ato de discar, todo mundo ri, acha graça, beija, elogia, pede para fazer de novo e mostrar para a vizinha, para a vovó etc. Então, a criança se sente "A" bem-amada, "O" centro das atenções! E quem é que não quer se sentir admirado, amado e bem-aceito?

Sempre que a criança agir de forma adequada socialmente, não se esqueça de aprovar, de mostrar afeto (sem escândalos, por favor) e aprovação. Um beijo, uma frase cheia de afeto e significado são mais que suficientes: *mas que linda e educada essa minha filha é!* Ou algo do tipo. Quer dizer: aja como agiu quando ela pegou o seu celular pela primeira vez, tocou numa tecla qualquer, colocou ao ouvido e fez cara de inteligente. Demonstre a mesma alegria.

A tendência do ser humano é repetir atitudes que são aprovadas pelas pessoas que lhe são importantes. Já se comprovou através de estudos sérios que a aprovação e o afeto atuam sobre os centros cerebrais do prazer, ligados à produção de dopamina, substância importantíssima para o bem-estar e equilíbrio emocional do ser humano. Nosso caminho é esse!

Lembre-se, porém, de elogiar *quando de fato a criança tiver agido de forma adequada.* Não é para fingir ou para bater palmas para tudo, como muitos pais fazem com medo de a criança ficar com baixa autoestima. É para aprovar *quando houver razão para isso.*

Exemplo: seu filho de dois aninhos está tentando amarrar sozinho o próprio tênis. A primeira vez que ele espontaneamente tentar, mesmo que dê um nó absurdo em vez do laço, elogie. *Mas foque: elogie a iniciativa.* Não diga que o laço está o máximo se não está.

A cada progresso, por pequeno que seja, dê atenção e elogie o avanço alcançado. Tipo "nossa, como você melhorou!".

Se você disser que está perfeito quando não está, talvez ele não queira ir adiante (para quê, não?) ou então vai ter uma visão distorcida do que é um laço bem-feito. Ou do que ele é capaz. Parece brincadeira? Não é não! Empresas brasileiras e estrangeiras têm reclamado com bastante frequência de que boa parte dos que hoje chegam ao mercado de trabalho consideram qualquer recomendação ou crítica de superiores ou colegas como humilhação, perseguição ou ataque pessoal.

Como se chegou a isso? Como aconteceu? Em parte, devido justamente à superproteção, elogios desmesurados e não compatíveis com o que foi realizado. Os seus pais, provavelmente, tinham um medo louco de traumatizar os filhos ou de que eles ficassem com baixa autoestima, complexo de inferioridade ou que nome se dê. E aí, embora com a melhor das intenções, exageraram às vezes na dose de estímulo e elogios, ao mesmo tempo que se abstinham de criticar o que quer que fosse. Em consequência, muitos dos jovens (que hoje se tornaram pais e a quem este livro é dedicado) cresceram com dificuldade de se autoavaliar de forma crítica e consciente, e/ou de aceitar serem minimamente criticados. É uma situação de fato. E que pode ser evitada no futuro.

Se não quiser repetir o erro, use equilíbrio e bom senso para nortear o quanto de progresso seu filho fez e, em decorrência, qual o tamanho do elogio que ele merece. Mas não deixe de demonstrar com clareza que sabe que ele se esforçou para melhorar (se isso tiver ocorrido realmente).

Elogiar é importante, mas esse julgamento favorável deve retratar a realidade — para que a criança possa e queira progredir.

Seus avós foram econômicos demais no elogiar; seus pais, excessivamente pródigos nesse mister. Que tal agora ter equilíbrio e fazer uma média das duas atitudes? Pode acreditar: vai ser muito bom para seu filhote!

Motivar significa, portanto:

- Elogiar cada progresso, mas efetivamente de acordo com o tamanho do mesmo;
- Significa também não criticar em excesso, para não coibir tentativas de melhoria;
- Estimular a vontade de progredir, mostrando que percebeu os esforços da criança;
- Objetiva, também, fazer a criança compreender que progrediu, deixando claro porém que ainda há o que aprender e aperfeiçoar;

- Não criar pessoas acomodadas, que nem tentarão progredir mais;
- E, por fim, deve propiciar uma visão crítica consciente e real do que fez e produziu;
- Com isso você estará desenvolvendo em seu filho uma competência que seguramente lhe será útil e ajudará a galgar posições e a vencer na vida no futuro.

É preciso, porém, considerar idade, características pessoais e tendências pessoais de cada uma de suas crianças. Mesmo filhos de um mesmo casal são diferentes, por isso evite comparar desempenho de uma com outra. Analise o progresso de cada uma em relação a ela própria: o que faziam antes e como e o que estão fazendo agora.

Ah, e a terceira face do segredo? Você deve estar aflito para saber.

A terceira chave complementa as demais. Elogio e motivação são essenciais. Às vezes, porém, precisa entrar em cena *a sanção* também. Sanção educacional! Diferente de castigo e, mais ainda, de castigo físico.

Quer dizer, se, ao contrário do que você ensinou, a criança empurrar para passar, simplesmente, *não saia do caminho...* É fácil, porque fisicamente não é esforço nenhum para nós, adultos: só o peso e o tamanho do corpo já são impedimentos suficientes.

Simplesmente, se ele a empurrar, *vire muro.* Isto é: Não se mexa! Apenas isso.

Bem, pode ocorrer de seu filho ter um chilique, porque você não saiu, quando ele a empurrou. É difícil isso acontecer, porque você fará isso sem agressividade e, de preferência, acrescentando logo a seguir: *o que é que se diz, quando se quer passar? Dá licença, não é? (E, depois que ele pedir licença): Ah, agora sim, vou sair para você passar, com toda certeza!*

Atue sempre da mesma forma, até que o comportamento dele (pedir licença) se torne automático.

Para não errar

- Não mude sua atitude quando estiver com pressa, atrasada ou sem paciência. Cada vacilada representa um *tantão* de retrocesso (dá trabalho, não é? Com certeza, mas é assim mesmo).

- Se o chilique acontecer, aja de acordo com o que está explicado no capítulo 2 (sobre chilique). Caso tenha se esquecido, leia novamente. Sem problemas. E lembre-se: Se nós, adultos, precisamos relembrar regras volta e meia, imagine uma criança que ainda está aprendendo...

- Mais um exemplo: ele quer falar com você *urgente* (eles sempre estão com pressa, mas é pressa de ser atendido em primeiro lugar) e você está conversando com uma amiga. Ele sobe no sofá, se enfia entre vocês duas e toca a chamar, falar ou chorar para conseguir o que quer. Não o atenda. Pode parar de conversar, se está em fase de ensinar, mas pare apenas para repetir *"Como é que um menino educado faz quando quer falar com a mamãe e ela está ocupada? Eu sei que você sabe".* Somente quando ele pedir licença, só então diga que sim, que falará com ele. E não se esqueça de pedir licença à amiga. Afinal, temos que dar o exemplo.

- Quando você o levar para o quarto, à noite, faça com que ele se despeça dos irmãos mais velhos, do pai, do vovô, enfim, de quem estiver na casa.

- Se ele pegar a comida com as mãos, entenda. Ele é pequeno. Tudo bem. Mas comece desde logo a ensiná-lo a usar corretamente a colher, depois o garfo e, um pouco mais tarde (quando a coordenação motora já permitir), a faca. Criança aprende tudo, desde que ensinado com calma, boa vontade e sem pressão exagerada.

- Se cair um pouco de comida na toalha, não critique. Mas quando não cair nada, aplauda e mostre que viu o progresso! Beijão nele!

- Não deixe que ele saia do banheiro correndo, depois de fazer pipi, sem lavar as mãos. Não fraqueje, é para fazer sempre!

- *Tá*, eu sei: dá um trabalhão! Mas só assim o hábito se forma. E isso é importante mais tarde.

- Não deixe seus filhos "regarem as plantas" quando estiver no clube, na praia ou no parquinho. Lugar de fazer xixi é no banheiro. *Sempre*. Tem que correr? Corra com ele, mas não se deixe levar pela lei do menor esforço, por mais tentador que pareça às vezes. Pode crer: dará muito mais trabalho adiante.

- Seu filhinho acordou e veio para sua cama (todos os filhos do mundo fazem isso, ai que sono que dá, logo assim tão cedinho). Mas, mesmo com muito sono, não se esqueça de lhe dizer "Bom-dia, querido!".

  Todos os dias!
  Semanas a fio.
  Meses e meses. Anos!

  Mas depois... Eles serão seu orgulho.
  E da sociedade também!

- Talvez você esteja pensando: mas isso que a Tania está falando na verdade é um conjunto de regras de etiqueta!

- Será que educação e etiqueta são palavras sinônimas?

- Não, não são. As regras de etiqueta constituem apenas uma pequena parte da educação de uma criança. Quando falo de pedir licença para passar, estou sim ensinando regras de etiqueta. Quando ensinamos a lavar as mãos antes de ir à mesa, estamos dando noções de higiene. Tanto uma como outra são importantes, embora cada uma delas tenha objetivos diversos e cumpram funções diferentes. Todas, porém, fazem parte e compõem a *educação integral da criança.*

- Quanto mais educado (tanto no sentido de saberes quanto de conteúdos e competências afetivas, sociais e relacionais), mais chance tem o ser humano de alcançar objetivos profissionais, afetivos e pessoais, no futuro.

- Entretanto, cabe a você decidir quão formal será a educação de seus filhos. Algumas pessoas são mais informais que outras e gostam de seguir à risca tanto as regras sociais quanto a etiqueta.

- De qualquer forma, é importante saber que uma pessoa educada e gentil terá muito mais chances quando estiver sendo entrevistada para conseguir um emprego, por exemplo.

- Também não impressiona positivamente a ninguém em quaisquer espaços (profissional, relacional ou afetivo) falar de forma incorreta, errar ao fazer um simples plural ou utilizar gírias e palavrões como se fossem vírgulas.

- Talvez você pense que isso é "formalismo ultrapassado" a que hoje não se dá mais valor.

- Ledo engano! No momento atual, o mercado de trabalho está ainda mais competitivo (o aumento de desemprego entre jovens é uma realidade no Brasil) e as relações afetivas e sociais tornam-se cada vez mais fluidas e superficiais. Nesse contexto, a pessoa educada, polida, gentil e que demonstra equilíbrio emocional tem, seguramente, mais chances do que as que, ao contrário, falam de maneira vulgar e incorreta, são desleixadas e têm modos grosseiros. Leve isso em conta ao decidir o que se segue:

– Reflita e defina em que medida você quer ensinar a seus filhos regras da boa educação e de etiqueta.
– A escolha é totalmente sua e de quem participa da formação de suas crianças. Lembre-se, porém, de que, assim como o saber não ocupa espaço, educação e finura também não.
– Ser educado é um comportamento que se aprende. Alguém tem que, portanto, ensinar. Pelo exemplo e por decisão.
– Só não dá para esperar que aconteça por milagre!

5. Como fazer seu filho FALAR

Entende tudo, mas não fala nada

Seu filho está com um ano e meio ou dois; já compreende tanta coisa! Um fofo! Inteligente como ele só, bem-humorado, risonho, sabido. Entende tudo que se fala, imagina só, tão pequeno. Mas...

Você já está preocupada, afinal vários amiguinhos que convivem com ele já falam muitas palavras, alguns até já fazem pequenas frases — e direitinho. Seu filho, porém, nada de falar!

Não fala, mas dá para perceber que entende o que lhe falam, porque reage adequadamente se você lhe diz, por exemplo, *"dá o biscoitinho pra mamãe, dá?"*. E ele entrega, até coloca em sua boca ou faz *"não"* com a cabeça.

Em uma ou várias ocasiões, quando não atendido por gestos (se você estava distraído ou olhando para outra coisa), ele emitiu sons como "da", "ma" ou outros parecidos.

Por outro lado, você sabe que ele não tem nenhum problema físico, ouve bem e já emite sons, porque o observa sempre, desde os primeiros meses de vida, fora as idas regulares ao pediatra.

Mas, se quiser tirar alguma dúvida, pode fazer dois testes bem simples:

1. Como verificar se seu filho escuta:

Quando ele estiver entretido com seus brinquedinhos, chame-o pelo nome, permanecendo fora do seu alcance de visão, mas de forma a que você possa vê-lo (caso contrário, não poderá estudar sua reação).

Observe se ele:

1) direciona o olhar adequadamente para o local onde você está;

2) procura descobrir de onde vem sua voz movendo a cabeça seguidamente em várias direções;

3) não esboça reação alguma frente ao som de sua voz.

Faça isso ao menos cinco vezes, em momentos diferentes do dia.

– Se a reação dele for como a descrita no item 1, significa — quase com certeza — que ele tem audição normal;

– Se agir como no item 2 depois de reiteradas experiências (pelo menos cinco), significa que ele provavelmente pode ter algum tipo de problema auditivo; leve-o ao pediatra e relate o que ocorreu para que requisite exames específicos ou recomende um especialista, se for o caso;

– Se agir como descrito no item 3, aja da mesma forma que foi recomendada no 2.

2. *Como se certificar de que seu filho pode falar:*

Observe em pelo menos cinco diferentes ocasiões se ele:

1) *ao rir emite sons;*
2) *balbucia ou gorgoleja interagindo quando você lhe fala aquelas coisas loucas que só pai e mãe falam para filho;*
3) *durante o banho ou engatinhando livre, enfim, em atividades que lhe dão prazer, ele grita e balbucia sons, mesmo que incompreensíveis.*

Se a resposta for sim, pode-se deduzir que tem poder de fala (em quase a totalidade dos casos).

Você já se certificou de tudo isso inúmeras vezes e verificou, inclusive, que, quando quer algo, ele aponta com clareza o objeto que quer e assume atitudes de expectativa (exemplo: balança as perninhas com intensidade e rapidez; eleva o bumbum como se saltitasse na cadeira; balança os bracinhos com veemência etc.) enquanto espera você atender ao seu pedido.

Ainda na casa de saúde no nascimento,[17] vários exames foram feitos e não foi detectado nenhum problema.

[17] Em agosto/2010 foi aprovada no Congresso Nacional a Lei 12.303, que tornou o exame *Emissões Otoacústicas Evocadas (E.O.A.)*, mais conhecido como *Teste da Orelhinha*, obrigatório em todas as maternidades e casa de saúde do país. Embora já fosse feito em muitos municípios brasileiros, passou a ser rotina para a maior parte dos recém-nascidos. O exame tem como objetivo diagnosticar problemas auditivos nos

Se está tudo bem, por que você continua angustiada pensando, *mas por que ele não fala?*

Que *medo*, não? Supor que seu filho, tão lindo e querido, tenha qualquer tipo de problema. Além do mais...

Você já ouviu sua mãe ou sua sogra murmurando, com cara preocupada, várias e várias vezes, como quem pensa alto: *esse menino já devia estar falando — parece mudo, olha tudo, entende tudo, mas não fala nada...*

Aí você se pergunta de novo: *Ai, meu Deus, por que será que ele não fala?*

Na maior parte dos casos, a resposta é muitíssimo simples: Seu filho não fala *porque não precisa*!

Como assim, "não precisa"? Você deve estar pensando meio revoltada, até!

Quer entender melhor?

Toda criança tem uma fase que chamo de "Fase da Coruja". Quer dizer, a criança já tem um vocabulário razoável, que daria tranquilamente para ela se comunicar através

primeiros dias de vida para orientar os pais sobre o tratamento precoce, cujos resultados são qualitativamente superiores do que os que se verificam num tratamento postergado. Verifique se foi feito em seu filho nos primeiros dias de vida, caso não tenha certeza. O tempo ideal recomendado para os melhores resultados é entre 48h de vida até os três meses.

da linguagem oral. No entanto, não fala. É um momento de transição interessante do desenvolvimento infantil.

A maior parte do que a criança aprende, como vimos, é aprendida por imitação — mas por curiosidade e *necessidade* também.

Seu filho percebeu que as crianças à sua volta e os adultos se comunicam usando a fala. Nesse processo, ele foi adquirindo compreensão do significado das palavras utilizadas pelos adultos a sua volta no dia a dia. Embora não conscientemente, ele percebe aos poucos que o som e os movimentos que vê os adultos fazerem com a boca são um só fenômeno; percebe também que com isso as pessoas "se entendem" e interagem; é esse processo que a conduz a adquirir vocabulário.

No entanto, ainda não teve necessidade de usar essa aprendizagem, porque:

Quando tem sede, aponta direitinho para o copo que está na mesa ou para a mamadeira; se quer um brinquedo que está na cômoda, sabe indicar a direção certa; se é a chupeta, choraminga e mostra o que quer. E isso tem funcionado bem. Quero dizer, ele aponta, você atende. Ou você, ou outra pessoa com quem ele esteja: o padrinho, a babá ou o vovô.

Significa que ele está com suas necessidades e objetivos atendidos. Não há, portanto, um *móvel para a ação* (motivação), ou, em outras palavras: estando atendido, não há motivação, vontade de ir adiante.

O ser humano precisa ter um motivo, uma razão para agir.

Então, é simples: dê ao seu filho um *motivo para falar*!

Ocorre que, com a vida que temos hoje, é cada vez mais comum os pais estarem sempre correndo contra o tempo. Foi-se o tempo de ter tempo...

Quando se está com pressa, tende-se a resolver as coisas da forma mais rápida. Então, se a criança apontou a mamadeira, sem pensar duas vezes a tendência é pegar e lhe dar. Por pressa, mas também por amor. Afinal, quem vai deixar uma criancinha com sede? E ainda mais sendo a *nossa* criancinha, a mais querida de todo o mundo?

Com isso, você pode estar agindo de forma prática para a sua vida diária, mas seguramente não é a mais estimulante para a criança em termos de progresso.

Você a atende quase que de imediato? Parece bom para ela. Mas não é. Porque não provoca nenhuma necessidade de ela se esforçar para falar; basta apontar para ter o que precisa. Provoca acomodação — estimula a *não falar*.

Se ele é atendido a cada vez que choraminga ou simplesmente aponta um objeto, por que razão aprenderia a falar — processo evidentemente mais difícil e complexo?

Pode parecer ridículo supor que conversar signifique qualquer esforço adicional. A essa altura, leitores do gênero masculino devem estar pensando "especialmente se forem mulheres"! Brincadeirinha à parte — é de fato um esforço.

A maior parte das crianças aos dois anos domina vocabulário de cerca de mil palavras, e é de se esperar que seja capaz de emitir frases curtas, de cerca de três palavras.

No entanto, o número de crianças na "Fase da Coruja" (conhecem o significado de muitas palavras, entendem e executam ordens simples, mas simplesmente não sentem necessidade de falar) tem aumentado bastante.

Portanto, se quiser que seu filho progrida, mude a estratégia.

E veja, a seguir, *como é simples!*

Criando a necessidade de falar

- Seu filho aponta o objeto desejado.
- Com calma, mas com clareza, pergunte: "O que você quer, amor?"
- *Não atenda à linguagem gestual.*
- Quer dizer, não lhe facilite tanto a vida, porque assim ele demorará muito a falar.
- Faça isso com naturalidade, com paciência e calma.
- Não faça ameaças como: *só dou se você falar...*
- Lembre-se de que você quer incentivar o progresso, não agredir nem brigar com seu filho.
- Tenha em mente que, embora pareça natural atendê-lo — já que você o entendeu por meio de gestos —, facilitar *demais* não é positivo. O ser humano aprende mais, melhor e mais rápido quando há interesse. E também é sempre preciso algum esforço pessoal que ninguém fará por ele. Nem querendo você falará por seu filho ou andará por ele, certo?

- Um pouquinho de esforço — ou, como se diz, suar a camisa — não é negativo, como pensam as pessoas, influenciadas pelo excesso de psicologismo. Uma pequena dose de estresse[18] é fundamental para a aprendizagem.

- Se alguém disser *puxa que, maldade*, ou algo assim, não se preocupe nem acredite; nas circunstâncias descritas é um ato educativo. Seria crueldade se a criança fosse passar fome ou sede ou qualquer outra necessidade, o que não é o caso aqui.

- Lembre-se de que, afinal, em todo esse processo de que estamos falando, você apenas estará *postergando por alguns poucos minutos* a satisfação daauela necessidade.

- Aliás, a respeito, convém alertar e deixar bem claro: não é para deixar a criança horas a fio sem alimento ou água *até que fale*. Certo? Apenas uns poucos minutos, de forma a que ela instintivamente responda com palavras ao sentir que não foi atendida ou compreendida por gestos.

- Trata-se apenas de criar situações que incentivem a fala, não de torturar criancinhas...

---

[18] Aqui utilizado no sentido de conjunto de fatores, internos e externos, que provocam excitação e, em decorrência, levam o indivíduo a agir.

- Não mostre irritação, nem ansiedade, caso ela não responda nas primeiras vezes. Aja tão somente como quem realmente não entendeu o gesto — e, por isso, precisa das palavras para entender e atendê-la.

- Tenha certeza de que, em pouco tempo, você terá excelentes resultados.

Provocando a fala

- Atitudes simples, não agressivas e sem estresse: Você está criando as condições para que seu filho sinta *necessidade* de falar.

- Por isso, quando ele falar a palavra ou frase, mesmo que ainda incorretamente, pegue o objeto e lhe entregue.

- Não se esqueça de elogiar, sorrir ou fazer um carinho. Além de motivação o ser humano também funciona muito bem com afeto: aprecia e quer ser recompensado! É isso mesmo. A tendência do ser humano é repetir o que dá prazer, o que dá certo. E deixar de lado o que não funciona.

- Mas, cuidado, não faça um escândalo nem exagere nos cumprimentos quando afinal seu filho falar. Como diz a sabedoria popular, *tudo que é demais enjoa...* Elogie, mas de forma natural e adequada — não exagere; aliás, *nunca* exagere.

- Também, cá para nós, dá para assustar ou não? Imagine-se no lugar da criança: ela disse uma simples e inocente palavrinha (que, aliás, já ouviu centenas de vezes adultos falando e nada de extraordinário aconteceu depois). Mas quando elazinha, coitada, fala a tal palavra, imediatamente após, mãe, pai, babá, papagaio e periquito, todos em casa começam a bater palmas, pular, agarrá-la, pedindo que repita e repita... Dá para assustar até adulto, quanto mais criança!

- Em resumo: mostre que está feliz, mas dentro das devidas proporções.
- Faça isso *SEMPRE, TODOS OS DIAS*, até o problema se resolver.
- Parece chato, não? Mas não é, pode ter certeza. Em pouco tempo (talvez dois ou três meses) a criança automatiza o comportamento e passa a usar a fala *naturalmente* ao precisar de algo. Sabe por quê? Porque você inverteu a *lei do menor esforço* e agora o que dá a seu filho menos trabalho é... Falar. Logicamente, desde que você continue só atendendo quando ele se comunica falando — e não atendendo caso apenas aponte ou gesticule.
- A constância de atitudes é uma das estratégias que mais funciona ao educar.

Para não errar

- De modo geral, as crianças de hoje são tão rapidamente atendidas que quase não têm tempo de sentir fome ou sede. Em alguns casos, talvez até demais. E essa tendência de atender tudo tão rápido pode gerar o comportamento que estamos aqui referindo.
- Então é fácil de entender: se ela não explica, você não entende. O ser humano tem a fala para isso: para se comunicar.
- Quando você disser que não entendeu o que ela quer, faça-o com naturalidade também — e espere ela pedir novamente.
- Não fique apontando nem perguntando insistentemente. Uma vez basta.
- Quando afinal ela balbuciar algo parecido com água (a-ga) — no início a enunciação da palavra pode não sair correta — repita fazendo aquela cara inteligente: *Ah, você quer água, é isso? Agora entendi!*
- Em seguida, lhe entregue a mamadeira com água.

- Aja sempre da mesma forma, mesmo se estiver com pressa. Lembre-se: são poucos minutos diários, e é por pouco tempo!

- Todo processo pode ter que recomeçar se você agir um dia de uma forma e no outro, de outra maneira.

- Não demonstre raiva ou impaciência, mesmo se as coisas estiverem demorando mais a acontecer. Cada criança tem um ritmo diferente.

- Por isso, não perca seu objetivo de vista.

- Quando seu filho falar a palavra desejada de forma incorreta, convém repetir com a pronúncia correta.

- Assim ela começará a discernir os sons e em pouco tempo falará corretamente.

- Não imite erros de pronúncia (por mais lindinho que lhe pareça).

- Também não precisa lhe dizer *tá errado, fale direito, puxa vida!* Apenas evite repetir a forma inadequada.

- A criança fala "aga", e, daí por diante, toda a família derretida começa a falar "aga" também. Como é que a pobre criancinha vai saber que a forma correta é água?

- Por excesso de amor, muitos papais encantados com seu bebê que até já fala — olha que maravilhoso e inteligente! — começam a falar daquele jeito *tatibitati* de quem tem um aninho de idade.

- Isso certamente não vai causar nenhum trauma ou problema emocional à criança, mas pense no seguinte: seu filho falou "aga", encantada você fala "aga" também, a babá idem. Resultado: seu filho ouve por três vezes a palavra pronunciada de forma inadequada. E nenhuma vez a forma correta. Não é difícil compreender que a chance de ele demorar muito mais a aprender a pronúncia correta é enorme.

- O foco é esse: quer ajudar a criança a falar? E a falar corretamente? Então fale corretamente com ela; seu filho aprende ouvindo, vendo e imitando.

- Quanto mais corretamente você falar, mais rapidamente seu filho o fará também.

- Evite mudar de atitude, como quem muda de roupa; quer dizer: hoje você está calmo e com paciência, aí segue direitinho o que foi recomendado. Quando está irritado ou com pressa atende a tudo que a criança pede apontando.

- Cada vez que age assim, alonga-se o processo (também não dá problema emocional, mas tenha consciência de que vai demorar mais tempo). Então, embora pareça que você está ganhando tempo aquele dia, na verdade está é perdendo o tempo que já investiu nessa aprendizagem.

- Seguindo as orientações aqui propostas é de se esperar que em algumas semanas ou poucos meses mais a criança esteja falando ao menos o vocabulário de que ela precisa para uso imediato.
- Se você tiver atuado exatamente da forma descrita e, após uns três meses, seu filho continuar sem falar nada (quer dizer, continuar na Fase da Coruja), é razoável e indicado pedir uma nova avaliação médica.
- Só para garantir e porque não se deve dar chance ao azar, se isso ocorrer é bom reavaliar a audição, para se certificar de que não há nenhum problema físico.

6. Como agir quando seu filho BATE em você

Tudo correndo na santa paz? Delícia!

Você e seu filhinho estão convivendo harmonicamente, e você a cada dia fica mais encantada com essa coisinha linda. Tudo sem problemas maiores, que pequenos todos os temos e faz parte reclamar um pouco disso ou daquilo. No geral, porém, tudo maravilhoso.

De repente, sem mais nem por quê, você está com ele ao colo brincando, beijando, cheirando e transbordando de amor e afeto... Meu Deus, que susto! Simplesmente ele lhe aplica um tapa no rosto! Na primeira vez, você fica perplexa e — meio insegura sobre como agir — deixa passar. Então, num outro dia, ele repete a proeza. E outras vezes mais.

Ai! O que fazer?
Deixar passar? Brigar?
E se continuar batendo, depois?
E se ele bater no meu chefe? Ou no meu sogro?
Será que ele tem instintos agressivos?

O primeiro tapinha também dói

Antes de prosseguir, saiba que quase toda criança, por mais meiga e doce que seja, pode perfeitamente um belo (?) dia dar um tapa no seu querido papai ou na sua amada mãezinha.

O que absolutamente não significa que ele é um monstrinho, nem que no futuro será um marginal.

Significa apenas que, por alguma razão, ele agrediu você ou a vovó ou o padrinho e bem no meio de uma brincadeira em que se estava numa situação de paz e amor. Então por quê?

Não precisa se preocupar muito com o "porquê". Basta saber que todos nós, seres humanos normais, podemos nos tornar agressivos em determinados momentos. É normal e é atitude relacionada a um instinto, o de defesa.

Certamente você pensará: *instinto de defesa? Mas ninguém agrediu, foi ele que me agrediu!*

Correto, mas em geral a criança agride porque, *tendo ou não razão*, pode ter se sentido agredida ou ameaçada.

Não é nosso objetivo aqui analisar se foi por esta ou aquela razão que a criança lascou um tapa na pobrezinha da vovó ou no tão querido padrinho (atualmente as pessoas tendem a especular razões de cunho traumático ou a buscar culpados para situações que apenas... acontecem! Na vida de todos).

Então, sem dramas, a não ser que a atitude seja constante e não cesse após você agir da forma a seguir explicitada, saiba apenas que isso acontece. Só isso, acontece.

É claro que choca e ninguém gosta. Ainda mais se você sempre tratou e trata seu filho com carinho, afeto e nunca bateu nele. Fica sempre no ar a pergunta: mas como ele aprendeu isso? Ou: *Com quem* ele aprendeu isso?

Se ele já está na pré-escola — *tadinha* da escola! — logo aparece a dúvida: *"Será que ele está ficando agressivo assim porque está na escola? Aqui em casa é que ele não pode ter aprendido isso"...*

Calma! Realmente ele pode ter aprendido a bater na escola; mas certamente não foi porque a escola é ruim, horrível, e, bem, sendo assim, o melhor é tirar ele de lá, pobrezinho! Certas aprendizagens que nos parecem terríveis, na verdade, aconteceriam de qualquer jeito. Se não na escola, no play, na pracinha ou na rua com os amiguinhos. Criança bate. E não é porque o pai bateu nela.

Quando se sente insegura ou com medo, a criança tenta se defender. Exatamente por ser normal. Se ela supõe que o amiguinho que se aproxima, todo sorridente com a mãozinha gorducha estendida, vai lhe tirar a bola com que está brincando tão feliz, ela bate. Ou empurra. Ou chora. Cada criança tem uma reação de defesa.

Resumindo, seguramente não foi a escola — não como parte do programa ou dos objetivos curriculares! Não, nada disso! Ela pode até ter aprendido no *espaço físico* da escola, mas não com os professores. É provável que tenha vivenciado e aprendido pela própria convivência com outras crianças.

Pode acontecer de a criança bater porque um adulto bateu nela. Mas essa não é a tônica — principalmente não é a tônica de crianças que estão na escola.

Para todos os efeitos, aqui vamos considerar o que é mais comum, o que ocorre na grande maioria dos casos com crianças saudáveis mental e fisicamente.

Desde que a criança começa a conviver com outras — seja em que local for — ela aprende coisas. Boas e más. Mas aprende principalmente a viver em sociedade.

Mais tranquila?

Ótimo! Afastar um medo da cabeça dos pais é uma grande façanha nos dias de hoje!

Revisão (só para ficar bem claro):

- Não precisa tirar da escola;
- Não precisa deixar de frequentar o playground;
- Nem deixar de ir ao clube ou à pracinha;
- Vivenciar e aprender a superar dificuldades do ato de se relacionar é parte importantíssima da vida emocional saudável.

Você vai me perguntar "mas precisa aprender isso tão cedo?".

E eu vou responder: nesse caso (não em todos), quanto mais cedo, melhor. Se desde cedo seu filho souber que ter amigos é uma coisa maravilhosa, mas não obrigatoriamente fácil o tempo todo, nem é mesmo um mar de rosas, tanto melhor. Menos tombos emocionais ele sofrerá. Não é isso mesmo que desejamos?

Por que a criança bate

Tudo isso posto, vamos esclarecer: uma coisa é a pessoa ficar tranquila sabendo que o ocorrido não representa problema.

É bom também, porque assim elimina-se um dos milhares de fantasmas que hoje povoam a cabeça dos pais, *tadinhos!* Fantasmas os mais diversos, aliás, quer ver?

- Tem o fantasma da baixa autoestima do filho;
- E tem o das violências que ele pode sofrer;
- Tem o da culpa pela ausência;
- Tem o do medo de errar;
- Tem o do medo de a criança engordar;
- E também o de ela não engordar o suficiente;
- Tem o fantasma de ter filho baixinho;
- E também o do medo de ter filho bobão, que não sabe se defender e leva a pior nas relações;
- Tem o fantasma do trauma;
- E tem o da frustração...

Precisa mais?

Não seria eu, jamais, quem iria aumentar medos e desconfortos dos pais. Já são tantos! Ainda mais eu, tradicionalmente conhecida como defensora dos pais...[19] Pelo contrário, como afirmo na dedicatória, este livro é justamente para diminuir problemas. E esse é um daqueles problemas desnecessários a que me referi. Então não vamos complicar. Seu filho bateu em você. Ponto.

Sem discutir nem imaginar novos fantasmas, o que importa para papais legais é ter consciência de que *isso não é correto*, ainda que hoje nós saibamos dar os devidos descontos considerando idade e fase do desenvolvimento.

Dar o desconto da idade é, aliás, essencial. Mas não fazer nada é outra coisa, bem diferente. Portanto, embora a gente até ache graça (nas primeiras vezes em que acontece, depois é bem desagradável), temos que agir.

Tudo o que não se deve fazer é ficar parado, e deixar o barco correr.

O que fazer? ***E-DU-CAR!***

Nos primeiros meses de vida, a criança só se relaciona com os pais, com os avós e com quem dela cuida. Só recebeu, portanto, afeto, carinho, compreensão (assim espero). Viveu em geral num mundo cercado de amor.

[19] Não é à toa que o primeiro livro que escrevi para pais chama-se *Sem padecer no paraíso, em defesa dos pais ou sobre a tirania dos filhos.*

Em consequência nada conhece do que é a realidade fora de casa.

Ao entrar na escola, ao começar a frequentar parquinhos e clubes, ela sai desse mundinho superprotegido e começa realmente a se conectar com outras pessoas. Em especial, com pessoinhas do seu tamanho — que tanto a atraem.

E nesse novo mundo de relações, especialmente com outras crianças que — tal como a sua — ainda não estão socializadas, ela vai começar a conhecer diferentes formas de ser e de se relacionar.

Vai encontrar afeto, mas também oposição ao que ela quer. Porque as outras crianças, assim como ela, vão lutar pelo que querem, ainda que de formas e com estratégias diferentes.

Lembre-se sempre de que, na escola, seu filho está se relacionando com outras crianças e com outros adultos também — mas está sempre sob supervisão.

Significa que raramente (se você escolheu uma boa escola) os professores e seus auxiliares permitiriam que qualquer criança sofresse alguma agressão perigosa para sua segurança.

O que pode ocorrer, e ocorreu também com cada um de nós, anos atrás, é ele levar ou dar um tapinha, empurrão e às vezes uma mordida.

Dar ou levar. Dar *e* levar, na maioria dos casos...

Quando uma criança arranca o brinquedo das mãos de outra ou a agride fisicamente, empurrando ou batendo, diferentes reações podem ser observadas, as quais variam de acordo com a personalidade de cada uma e das vivências anteriores também:

- Algumas "dão o troco" de imediato;
- Outras ficam imobilizadas, caladas, como quem analisa incredulamente o que ocorreu;
- Algumas choram baixinho, fazendo beiço;
- Um grupo abre o berreiro, com toda a força dos seus pulmões;
- Outras ainda tentam pegar de novo o brinquedo — como se não ligassem um fato ao outro — e até mesmo acariciam o coleguinha que as agrediu.

São essas, basicamente, as reações *normais* mais frequentes.

Uma criança que não reagiu hoje poderá amanhã ir à escola espalhando tapas entre todos... Quer dizer, a que bateu hoje pode apanhar amanhã e vice-versa. Faz parte da aprendizagem do conviver. Não quer dizer que a que bateu é pior do que as outras. São apenas diferentes e ainda não estão socializadas.

Como agir para seu filho parar de bater

Já em casa cabe a você estar no controle dos fatos.

Traduzindo: seu filho lhe deu um tapa? Deu. Independentemente da razão que o levou a isso, você é o educador e deve agir sem demora.

Tempos atrás uma senhora — que à altura já era bisavó — me contou que quando sua filha começou a teimar e a dar tapas em todos que dela se aproximavam, muito preocupada, perguntou ao pediatra: *Doutor, com que idade devo começar a educar minha filha?* Ao que o médico respondeu com outra pergunta: *Qual a idade dela agora?* Disse ela: *Está com um ano e meio...* E o doutor, então, finalizou: *Minha cara, a senhora já perdeu 18 meses...*

Começar cedo é importante, sem dúvida. Mas lembre-se: isso deve ser feito sempre de acordo com o que a criança pode e é capaz de entender e fazer.

Vamos então à prática?

- Logo da primeira vez em que ela agredir, reprove o ato com segurança e muita clareza.

- Diga sem gritar, mas com muita firmeza, *"você não pode bater na mamãe (ou no papai ou na vovó, conforme for o caso). Não gostei, estou zangada, isso é muito feio.*
- É preciso que a criança perceba que seu semblante mudou; fique séria.
- Se ela estava em seu colo, coloque-a no chão ou no berço (em qualquer local seguro). E só. Não precisa alongar nada.
- Toda vez que ela bater em você ou em outras pessoas, aja da mesma forma.
- Se, em uma ocasião qualquer, ela tentar e você perceber a tempo, não deixe que lhe bata. Segure suas mãozinhas com firmeza, mas sem machucar, e depois mantenha-a longe do alcance do seu rosto ou do seu corpo.
- E demonstre que não gostou: Não ria, nem sorria. Também não agrida a criança. Apenas fale com clareza que não aceita esse tipo de comportamento. E fique de cara séria, por algum tempo (não precisa ser o dia todo, nem tampouco apenas 2 minutos).
- De modo geral, será o suficiente para inibir esse tipo de atitude.
- Fácil, não? Mas é preciso agir de forma a que fique muito claro para a criança qual foi a atitude que gerou o seu distanciamento.

- E, como tudo em educação, persevere. Aja sempre da mesma forma, em situações semelhantes.
- Quando a criança entender que ao bater nas pessoas elas se afastam, quase com certeza deixará de bater, porque ela começará a identificar a situação negativa, algo que lhe traz consequências desagradáveis (por exemplo, perder o colo carinhoso do papai ou da vovó ou acabar a brincadeira que faziam antes).

Para não errar

- Por mais engraçado que lhe pareça, não ria quando seu filho lhe bater ou chutar; nem se ele chutar ou der um tapa no seu maior rival.
- A coerência de sua postura abreviará em muito o tempo de aprendizagem do seu filho.
- É preciso que ele sinta — com muita clareza e constância — a diferença entre atitudes aprovadas e atitudes não aprovadas.
- Não permita (embora seja o mais fácil) que seu estado de espírito mude sua atitude educativa: ele não pode bater nem hoje, nem amanhã, nem nunca. Não seja mais tolerante quando está alegre e mais dura quando está cansada ou de mal com o mundo. Seu filho ficará confuso e não saberá o que mudou.
- Seu filho poderá reagir chorando muito, porque você o tirou do colo. Não o pegue no colo "correndo" de novo. Ele vai achar que berrar é um santo remédio. Depois não reclame!

- Ele pode também ficar amuado ou tristonho. Não ligue. É isso mesmo que se quer: que ele *compreenda que, agindo errado, perde alguma coisa.*

- No dia seguinte, quando a crise tiver passado, continue sendo amorosa. Nunca na hora em que bateu em você.

- Quanto tempo depois é suficiente? Depende da idade e da criança: até cerca de três anos, uma hora é suficiente. Mas isso não é regra. Para algumas crianças 15 minutos de gelinho bastam. Observe por si própria. Se depois de voltar às boas, seu filho bater em você novamente, repita as etapas, mas alongue o "gelo".

- Se for maior (espero que não aconteça, porque você já deverá ter agido bem antes disso. Mas se não, ainda é tempo), por exemplo, aos cinco ou seis anos (no máximo! Depois disso é inaceitável um filho bater na mãe ou em qualquer adulto que o cerque), só volte às boas no dia seguinte. Veja bem: não é "ficar de mal" como uma criancinha — é mostrar que está aborrecida, chateada mesmo, com a atitude dele. Se passar muito rápido, ele nem vai perceber. Se ele pedir desculpas logo a seguir e até "jurar" que não vai fazer mais, perdoe. *Mas não brinque nem volte a ser calorosa como antes.* Se ele perguntar a respeito diga "ainda estou triste e sem vontade de brincar com quem bate".

- Não deixe de observar como as coisas estão correndo; faça sua própria avaliação. Afinal, como já disse aqui, as pessoas e as crianças também são diferentes umas das outras.

- Não se deixe comover por um apelo muito caloroso, recheado de beijinhos, nem por juras de arrependimento eterno — se isso ocorrer cinco minutos depois de você ter *dado gelo* ou colocado os pingos nos "is". Especialmente se for um fato recorrente. Tudo que é fácil demais perde o valor.
- Aja sem agressividade, mas com firmeza — e permaneça sério.

Pais não precisam bater nos filhos para educar; mas também não devem deixar que os filhos batam neles, por mais amor que lhes tenham.

7. Como fazer seu filho ESTUDAR

Tem criança que já nasce querendo aprender. Outras precisam de um empurrãozinho de vez em quando. Há ainda as que precisam de um empurrão bem grande a cada dia...

Como seria bom se cada filho já viesse ao mundo doidinho para estudar, animadíssimo para fazer as tarefas escolares *todos os dias*, e mais: que acordasse sem precisar brigar com o relógio e ainda por cima supermotivado e *a fim* de ir às aulas...

Ô sonho danado de bom, não é não? Dá para querer mais que isso, especialmente nos dias de hoje? Tenho sempre a impressão, ao ver o comportamento de algumas crianças, de que umas já vêm ao mundo com um diferencial qualquer, ainda não identificado cientificamente, mas que as torna interessadas e automotivadas...

Brincadeiras à parte, não há dúvida de que é um *presente di-vi-no* ter um filho com o qual a gente não precisa nem se preocupar em termos de estudos, notas, provas, tarefas escolares. Quando são assim, metade das preocupações dos pais termina. E quando não, pode contar que você terá anos de trabalho e supervisão pela frente.

Se você tirou essa "sorte grande" com pelo menos um de seus filhos, agradeça aos céus! Todos os dias. E se forem todos então...

Bom lembrar, porém, que, não são muitos os que nascem "contaminados por essa virose positiva" (como brinco ao me referir às crianças que espontaneamente adoram estudar e aprender). E vale lembrar também que o ser humano *não nasce pronto para quase nada*. Melhor dizendo: nós, humanos, nunca estamos *prontos* de verdade.

E isso é uma verdadeira bênção para a humanidade...

Bênção por quê, você deve estar se perguntando. Já pensou se fosse o contrário? Quer dizer, se a gente não pudesse mudar nada e tudo fosse só genética, DNA, herança? Para o mal ou para o bem, não parece promissor... Marginal já nasceria pronto e sem possibilidade de melhorar; preguiçoso também; gênio, idem. Aluno que não quer estudar, idem...

É interessante imaginar um mundo em que tudo já viesse predeterminado, pronto, acabado.

A esperança ficaria aonde?

Perigoso viver num mundo sem perspectivas, não acha? Professor nesse tipo de mundo não existiria. Para quê? E pai e mãe? Era ter o filho e rezar. Rezar para ele ter nascido legal, bonzinho, carinhoso... E se conformar se, pelo contrário, ele nascesse antipático, perverso e duro.

Então, se concordamos nisso: *Ainda bem que ser humano é capaz de mudar e aprender!* Em consequência, porém, uma importante tarefa se impõe, desde logo: ensinar nossos filhos a valorizarem o saber e os estudos.

Um bom estudante, como vimos, pode já nascer automotivado; felizes são seus papais! Mas a grande maioria *tem mais o que fazer* (como pensam e dizem muitos jovens), ainda mais em tempos de internet, joguinhos eletrônicos e redes sociais.

Pior que é verdade: cada casa tem pelo menos uma tevê (poucas têm apenas uma, inclusive na classe C), um console tipo player ou mais, telefones celulares com joguinhos (um para cada adulto da casa pelo menos), joguinhos no computador, aparelhinhos portáteis loucos para joguinhos (*playstation, psp e outros*) bem como DVD players portáteis para automóveis, para a criancinha levar sempre consigo:

- Ao visitar parentes ou amigos dos papais, ficando assim bem quietinho, hipnotizado, enquanto os adultos conversam em paz;
- Nos diversos trajetos de carro do dia a dia, e, dessa forma, permitindo que mamãe ou papai dirijam sem ter que olhar para o banco traseiro a cada segundo, perigando bater no primeiro poste;

- Ao shopping a cada final de semana para fazer compras, permitindo assim que papais possam fazer suas compras com calma, muita calma, horas a fio;
- Nos restaurantes para almoços, jantares ou bate-papos com amigos, assim assegurando que se volte para casa à meia-noite ou pela madrugada, sem maiores estresses já que o filhote fica tão bem e entretido;
- E até mesmo à escola, para onde ao menos em tese se vai para estudar, mas, evidentemente, seus pais só permitem depois de a criancinha ter jurado jogar *somente* na hora do recreio (a *aula, porém, estava tão chata*...).

De modo que, se você quer que seu filho seja um bom aluno, ou ao menos não lhe dê muita dor de cabeça na escola, mas não foi premiada com um filho que adora estudar e só tira notão; se, além do mais, acha confortável deixá-lo "tão comportadinho e feliz" frente à tevê ou com todos *os gadgets que o entretêm várias horas ao dia*, enquanto vocês, adultos, fazem o que precisam ou gostam de fazer, vai ter que decidir entre ficar na santa paz hoje (e se aborrecer bastante mais no futuro) ou rever algumas (não todas) atitudes mais cômodas que está adotando hoje (para que daqui a dois ou três anos você nem mais precise se preocupar com rendimento escolar).

Infelizmente não dá para ser de outro jeito. É preciso formar hoje para usufruir amanhã.

Gostar de estudar tem relação direta com o mundo no qual a criança convive desde seus primeiros anos de vida. Quer dizer: A maneira pela qual quem cuida (pais, avós, babás, tutores...) age em relação ao saber, ao conhecimento, à escola, à leitura.

O momento para começar a construir e desenvolver hábitos de estudo começa quando você apoia e valoriza toda e cada uma das atividades que a professora propõe, seja um simples desenho, uma pesquisa, um estudo e até a prova que a criança vai fazer.

E continua quando você colabora, ajuda e, principalmente, zela pelo cumprimento das tarefas que a escola propõe. Mesmo que lhe pareça sem sentido, fácil demais, difícil, não importa!

Apoie! Se você faz isso sempre está no caminho certo para ter em casa um bom estudante! Mesmo que ele não tenha nascido com aquele "vírus maravilhoso" de que falamos.

Gostar de estudar é uma competência que se pode aprender. E que começa a ser aprendida em casa. E continua depois... Pelo resto da vida!

Ai, meu Deus, que trabalheira dá ser pai e mãe, você deve estar suspirando. Mas é mesmo uma trabalheira. Só que dá frutos maravilhosos, quando se assume a trabalheira, claro.

Pronto para pôr mãos à obra? Vamos lá!

> ***Ainda que parte da motivação para aprender seja inata, crianças que não apresentam tal característica desde o berço podem perfeitamente aprender e gostar.***

Para não errar

Antes do primeiro dia de aula

- O primeiro dia de aula está próximo? Faça disso uma verdadeira festa, um evento importante.
- Leve-o com você quando for comprar o material que a escola pediu: material, uniforme, merendeira, mochila. O que for necessário.
- Mostre-se orgulhoso desse grande momento (e se estiver temeroso, não demonstre, por favor!). É a primeira saída do âmbito familiar para o institucional. Um grande passo, que merece comemoração.
- Atenção, porém: comemorar com a criança significa mostrar que está feliz com o crescimento dela, com a nova etapa. Só isso.
- Evite, pelo amor de Deus:
  - Promessas do tipo: comprar um ou mais presentes, se ela não chorar;
  - Trazer um brinquedo novo ou uma "lembrancinha" a cada vez que vai buscá-la, no retorno a casa;

– Levá-la para comprar figurinhas, revistas etc. quando sair da escola.

- Por quê? Simples: agindo da forma descrita você mostra — ainda que indiretamente — o seu verdadeiro conceito em relação a estudar: ir à escola é um sacrifício tão grande que merece compensação diária!

- Por mais incrível que lhe pareça, crianças têm um poderoso radar (invisível e embutido em algum lugar não visível aos olhos dos pais) que lhes possibilita detectar fraquezas, dúvidas ou conceitos não expressos pelas pessoas que as cercam no dia a dia. Isso mesmo! Parece loucura? Não é. Nossos filhos sabem direitinho quando nós estamos inseguros ou com medo. E daí é claro que esse temor ou insegurança os coloca em estado de alerta: *"Se meu pai está com medo, deve haver uma razão séria para isso!"* E o temor e a insegurança imediatamente se transferem. Portanto, avalie bem que tipo de sentimentos você está passando para seu filho.

- Escolheu a escola com segurança? Pense e lembre sempre disso ao se sentir em dúvida. E, se a dúvida for muito presente, volte a pensar se de fato decidiu com segurança. Caso não o tenha feito, ainda é tempo de refazer.[20]

---

[20] Se esse for o seu caso, recomendo a leitura do livro *Escola sem conflito, parceria com os pais*, de minha autoria, que poderá lhe ser muito útil na

- Não precisa comprar o material mais caro, nem o mais chique, só porque quer valorizar a escola. Levar a criança com você para providenciar o necessário e se mostrar orgulhoso do fato já é mais do que suficiente.
  - Crianças são atraídas por formas, cores fortes, luzes. Por isso mesmo vitrines e expositores de materiais são arrumados buscando tornar mais visíveis itens mais caros. Não precisa ficar com medo de analisar e decidir entre dois ou três que têm a mesma função e preços disparatados. Se a criança quiser escolher, permita que o faça dentre os que você tiver previamente selecionado como adequados em termos financeiros, e principalmente em função dos objetivos da escola.
- Compre o que a escola definiu, sem competir com o material (caríssimo e chiquérrimo) que o seu vizinho comprou. Valorize o material *pelo que ele vai trazer de saber* e não pela aparência ou o preço.
- Claro, se puder e não for uma extravagância fora de propósito, atenda uma ou outra preferência do seu filho, assim ele vai se sentir valorizado e participativo.

---

definição do tipo de escola assim como o que considerar quando for visitar os colégios que pretende analisar.

O primeiro dia na escola

- Aja exatamente como a escola lhe orientou (estamos tratando aqui de uma escola de Educação INFANTIL). E isso quer dizer exatamente: sem discutir.

- Em geral as escolas agem de três formas diferentes em relação ao período de adaptação (de acordo com sua experiência e proposta educacional) e com relação à presença do responsável:

  1ª Não solicita a presença do responsável, nem nos primeiros dias — você leva e deixa a criança com o professor da turma que a recebe à porta;

  2ª O responsável é avisado de que deve comparecer e permanece na secretaria da escola ou em outra dependência, até o dia em que lhe comunicam não haver mais necessidade;

  3ª O responsável deve vir e permanece por um ou mais dias junto com a criança na sala de aula; a seguir, na secretaria ou outro local designado até ser liberada a permanência.

- Cada uma das posturas acima descritas tem fundamento no que a escola avaliou como sendo a forma mais coerente com sua linha educacional. Portanto, não tente mudar o que está estabelecido. Faça exatamente como lhe orientaram — e tudo vai dar certo;

- Não se desespere se seu filhinho adorado chorar e ficar banhado em lágrimas no colo daquele "professor insensível" que, a despeito dos gritos, soluços e protestos dele *o carrega* para... Para onde mesmo? Que lugar terrível? A sala de aula!

- Viu? Não é preciso ficar desesperado — nem ao menos triste! É só lembrar para onde estão levando sua linda criancinha. Para um lugar onde ela aprenderá a viver em sociedade, a conviver e onde será — com certeza — muito feliz!

- Não tenha dúvida: seu filho parará de chorar dali a pouco. Uns choram mais, uns menos — dependendo da criança e da sua atitude também, mamãe. Algumas param de imediato — e só recomeçam quando veem a mamãe que, num gesto desesperado de amor, sai da sala onde deveria ter ficado quietinha como lhe recomendaram e vai *"só dar uma espiadinha"* pela janela ou pela fresta da porta para ver se seu filho está *mesmo* bem, como lhe afiançaram... Aí, lógico, quando vê a mãe, ele chora!

- Outras continuam entretidas e calmas, alegres e participativas. Mesmo que o papai ou a mamãe apareçam. *Olha que absurdo, que ingratidão*! Tantas horas de dedicação, noites sem dormir, presentes, carinho, tempo de dedicação e, em poucos minutos, ele nem se lembra de você!

- Brincadeiras à parte: a maioria das crianças gosta e fica bem na escola logo nos primeiros dias. E se seu filho se enquadra nesse modelo, parabéns! É sinal de que ele está seguro e sendo bem tratado. Também é sinal de que você conduziu o processo de forma muito adequada.

- Se sentir uma pontinha de ciúme (ou um iceberg gigantesco) não se deixe vencer. *Engula o choro*, como diziam nossas avós. E siga em frente. *Não demonstre o que sentiu e não fale sobre isso com ninguém na presença dele.* Entre quatro paredes, e sem a presença do filhão, chore à vontade.
- Seu filho está indo bem. Não atrapalhe o processo!
- Nada de ceninhas; nem de beicinho, tipo: *Puxa, você nem sentiu saudade da mamãe... Fiquei triste, viu?*
- Por favor, não estrague tudo. Se precisar muito (só se for muito mesmo), desabafe com sua mãe, seu companheiro, sua melhor amiga. Mas não com seu filhinho — uma criança que precisa de um adulto orientando-a e não de outra criança (no caso, você) chorando e insegura ao seu lado.
- Já pensou em como a criança se sente confusa com essa demonstração infantil? E ela crente que podia se apoiar nos adultos...
- Portanto, se tudo correu bem, sem choros ou problemas, ao levar seu filho de volta para casa, aja naturalmente. E em casa conte para quem lá estiver como

ele se comportou bem e como você está orgulhosa dele. E deixe que ele escute.

- Se ele chorou e berrou, não diga nada. Não pressione, nem fique preocupada. Continue o processo — sempre sob orientação da escola. Cada criança tem necessidades e capacidades diversas. Umas são mais extrovertidas e adoram novidades. Outras são mais conservadoras. Sem problema! Cada um é um. E viva a diferença. Mas não se preocupe. Se agir como a escola orientou, logo ele vai se acostumar e ficar muito feliz em meio a coleguinhas de sua idade.

- Siga adiante, que tudo está dentro do esperado!

Seguindo adiante

- Passadas as primeiras semanas, você percebe que seu filho está ótimo, se adaptou e tudo corre bem.

- O que resta fazer? Pouco e muito. *Pouco* porque são algumas pequenas regrinhas que devem ser praticadas. E *muito* porque fazer todos os dias a mesma coisa durante anos é, de fato, muito.

- Mas pense apenas um instante no seguinte: Você vai dedicar três ou quatro anos criando bons hábitos de estudo. Um trabalhão, não resta dúvida. Por outro lado, ao final desse processo, você terá garantido a ele (em quase a totalidade dos casos) uma competência que lhe permitirá ter uma profissão, ser persistente, trabalhar, ser independente financeiramente; enfim, você terá dado a ele um bem dos mais preciosos: *o saber.* Único bem, aliás, que ninguém lhe poderá tirar. O conhecimento, o prazer de estudar, de aprender coisas novas. É o único bem que se pode subtrair ou roubar de alguém. E que pode ser transportada para qualquer lugar, em qualquer situação. Não tem preço.

- Agora pensando sob outro ângulo: Caso você ache que o trabalho é muito repetitivo e resolva largar de mão, porque lhe parece uma coisa tão longínqua, um trabalho tão de longo prazo, interminável mesmo, o que poderá suceder?

- Em vez de trabalho de poucos anos, você terá trabalho *pelo resto de sua vida.* Ai, que susto! Mas é isso mesmo. Veja:

- Estudos comprovam que aluno que não estuda e, por isso, vai se arrastando na escola; que só alcança os resultados mínimos exigidos para prosseguir (e são mínimos mesmo na maioria das escolas — em torno de 50% dos objetivos do ano) e que, em muitos casos, é reprovado ano sim, ano não, ao final de algum tempo acaba abandonando a escola ou, ao ser reprovado, começa a mudar, a cada vez, para instituições menos exigentes até que finalmente conclui o Ensino Médio.

- O processo todo (do Ensino Fundamental ao Superior) dura entre 16 a 18 anos, se não houver nenhuma reprovação; ou o dobro se a criança repetir sempre... Então, em vez de você brigar para formar bons hábitos de estudo logo no início, poderá passar trinta nessa luta!

- E o pior é que depois de trinta anos de brigas e aborrecimentos, seu filho, embora para uso externo esteja de posse do famoso canudo de papel, internamente poderá estar forrado de incompetências (para ler, interpretar, calcular, pensar, enfim). Vai, dessa forma, conseguir emprego onde?

- O quadro assusta? Então é agir hoje, agora! Seu filho e você merecem!

- As providências nem são tantas assim. Quer ver?

- ***Prestigie as tarefas escolares***

Quer dizer: *não faça observações nem opine* na frente da criança se achar que o trabalho proposto foi excessivo ou pouco; nem se achou difícil ou fácil demais.

Se você quer ser pai de um bom aluno, apenas zele para que ele cumpra as obrigações escolares.

Obs.: Se você tem críticas às tarefas, vá à escola, marque uma entrevista e converse com o supervisor pedagógico. Mas não comente na frente do seu filho. Ele vai perder a confiança na escola e nos professores. Pode até não querer mais fazer as tarefas, já que você mesma se diz contrária a elas.

- ***Habitue seu filho a ter horário e local adequado para estudar e fazer as tarefas***

Em frente à tevê, na sala com outras pessoas da família entrando e saindo, na cozinha com a empregada ouvindo rádio e em outros locais movimentados ou barulhentos, a criança levará o dobro do tempo para concluir qualquer trabalho. E o fará sem dúvida com mais erros, porque logicamente se distraiu um monte de vezes durante o processo.

Sem brigas, leve-o para o lugarzinho reservado para as tarefas. Se não tiver, crie um. Uma mesa e uma cadeira no quarto dele, por exemplo. Só isso, nada de gastos ou sofisticação desnecessários. Só um local calmo e sem muito barulho ou movimento.

- ***Supervisione***

Até seu filho criar o hábito, providencie — sugerindo, lembrando ou incentivando — para que ele cumpra as tarefas.

De preferência sempre no mesmo horário. Se não estiver em casa, telefone. Celular serve para isso.

Não faça as tarefas para ele, nem corrija achando que tem que estar tudo correto ou para ele fazer bonito na escola. Quem corrige o trabalho é o professor.

Se ele lhe fizer uma pergunta sobre o trabalho aí é outra coisa; você pode ajudar, mas apenas encaminhe o raciocínio de forma a que ele próprio responda.

Não lhe dê a resposta pronta. É mais fácil para você, mas ele não aprende e vai se acostumar a consultá-la — e não às anotações de aula, o livro ou a apostila.

- ***Incentive***

Crie o hábito de *ler diariamente o caderno ou a agenda* que a escola mantém para se comunicar com os alunos e seus responsáveis. Veja o que a escola determinou — e confira se o seu filho cumpriu.

Quando ele tiver feito tudo direitinho (não precisa ter acertado todas as questões ou tarefas, apenas cumprido com capricho e boa vontade) não se esqueça de elogiar, beijar e mostrar que está feliz com a atitude dele.

É muito importante que seu filho saiba que você olha, avalia e aprova sua forma de agir. Mas quando não tiver feito os trabalhos, ou tiver feito de forma visivelmente descuidada, providencie para que ele faça ou refaça. Assim ele aprenderá a fazer logo caprichadamente — e a não ter dois trabalhos...

Não se preocupe que seu filho não ficará "cansado". E se ficar, não tem problema — uma noite de sono resolve qualquer cansaço.

Elogiar é preciso, mas não minta. Se estiver bom — não precisa estar perfeito, apenas bom — elogie. Mas se não estiver, diga o que não ficou bom. Critique, porém de forma não agressiva. E mande refazer. Não precisa falar muito. Só agir na hora — e diariamente. Com o tempo, ele criará o hábito.

- ***Tenha paciência***

Algumas crianças aprendem tudo rapidamente; outras demoram mais. Portanto, embora para os pais muitas vezes seja difícil lidar com o ritmo de aprendizagem dos filhos, é importante persistir até que a criança comece a ter o comportamento desejado.

Vá com calma e não compare o desempenho de um filho com outro, nem com o dos amiguinhos. Nem para "se gabar", nem para "estimular". Cada criança é diferente da outra.

Se um filho já nasceu querendo aprender e outro está lhe dando um trabalhão, lembre-se: os dois poderiam dar trabalho... Portanto, você foi premiado!

Siga em frente e não esmoreça. Afinal, é um grande ganho ter filhos que estudam, aprendem, progridem e, especialmente, adquiriram o hábito de se responsabilizar pelas suas tarefas.

> ***Poucas crianças nascem "adorando" estudar, ir à escola e fazer as tarefas de casa. Aos pais cabe desenvolver essa responsabilidade, que, às vezes, até vira prazer. Dá trabalho, mas a recompensa vale a pena.***

8. Como conviver com as MÍDIAS de forma saudável

No tempo de seus avós não existiam.

Na infância de seus pais, começaram a aparecer com mais frequência — especialmente nas classes A e B.

Na sua meninice pareciam fazer "parte da paisagem", quer dizer, você nem achava que era algo extraordinário que merecesse comentários ou comemoração — lhe parecia que sempre existiram...

Parece até aquela brincadeira *"o que é o que é"...* Basta, porém, pensar um pouco para compreender que estou, obviamente, me referindo ao computador, à televisão, ao telefone celular, à internet rápida, ao DVD player, ao GPS, ao cinema, à TV de alta definição e em 3D. E outras maravilhas da tecnologia moderna.

Para quem nasceu com todas essas maravilhas dentro de casa, pode parecer engraçado ou até estranho ouvir alguém comentar e se maravilhar. Provavelmente você deve estar pensando *isso é coisa de "gente velha, muuuuito velha"*. Nem tanto assim!

As duas últimas décadas trouxeram mais progressos tecnológicos e científicos do que séculos anteriores inteirinhos... Portanto, não é coisa de muito tempo não. Talvez de, no máximo, 50 anos.

E se você pensa assim, imagine como os seus filhos pensarão daqui a trinta anos!

E olha que nem citei os consoles portáteis para jogos eletrônicos que deixam as crianças apaixonadas — PSP, DS, uma sigla nova a cada dia...

Até este livro chegar às livrarias com certeza terão surgido mais novidades de última geração. Muitas mais!

O que hoje encanta e se torna objeto de desejo até de adultos, provavelmente já está sendo ou virá facilmente a ser parte integrante do dia a dia de quem nasceu depois dos anos 1990, tal como o forno de micro-ondas, os fogões com acendimento automático e as geladeiras com degelo automático: benesses que encantaram os seus pais (melhor dizendo, a sua mãe — que não precisou mais descongelar a geladeira a cada dois meses), mas que, para você, nem novidade mais eram.

Aliás, você sabia que as donas de casa tinham que desligar a geladeira a cada mês, esperar o gelo descongelar todinho, a água escorrer, para depois limpar e poder ligar novamente? É, dava um trabalho... Mas isso só até aparecer a *tecnologia Frost Free, que dispensa descongelamento por todo o sempre!*

E que você, provavelmente, tem desde que montou sua casa; por isso, sequer imagina que existia algo menos que isso apenas quinze anos atrás...

E o que é que isso tudo tem a ver com a educação de meus filhos, com certeza, você deve estar se perguntando. E suando frio só de pensar que até com essas coisas úteis e tão inofensivas eu vá dizer que os pais precisam se preocupar.

Não. Não precisa se preocupar com todas as novas tecnologias — de forma alguma.

Ufa! Alívio!

Com algumas delas, no entanto, sem dúvida há que se preocupar (e sem choro, que não adianta nada. O importante é refletir, aprender a respeito e *AGIR*).

Que cuidados ter? Com o DVD player, nenhum... Mas, com o *conteúdo dos filmes* que seu filhote vai assistir a partir dele, sim. Os mesmos cuidados que com relação aos programas de tevê, apenas isso. E exatamente também os mesmos em relação aos *joguinhos eletrônicos*:

- Preocupe-se com as mensagens: devem ser adequadas à idade; apenas esse cuidado é suficiente.
- A criança até sete anos, pelo menos, ainda não está com sua capacidade de análise e julgamento críticos desenvolvidos.

- Em outras palavras, a formação de conceitos éticos ocorre paulatinamente e sob orientação, não nasce com a criança. Conceitos morais são aprendidos. E de preferência com os pais ou com alguém que ama e cuida da criança. Seguramente não serão, nem a tevê nem o conteúdo de certos jogos eletrônicos, os melhores orientadores...
- Se você lhe comprar o joguinho em que o objetivo é atropelar o maior número possível de senhoras idosas, que coisa saudável ela estará aprendendo?
- A preocupação básica deve ser: divertir, distrair, fazer rir e, sempre que possível, ensinar alguma coisa, nem que seja pela mensagem que encerra. Portanto, evite temas que instiguem a violência, o desrespeito, o medo, a agressividade ou a ansiedade.

Mas será que faz mal mesmo? Tem especialista que critica, e outros que afirmam não trazer problema algum.

Afinal, onde está a verdade? Difícil, não é? Mas vamos pensar juntas:

Você não questiona vacinar seu filho, questiona? Por quê? Porque a prevenção é, sem dúvida, o melhor que você pode lhe oferecer.

É a mesma coisa em relação aos jogos eletrônicos, tevê, internet e sites de relacionamentos.

Existem estudos que apontam benefícios que as crianças podem desenvolver ao utilizar as maravilhas da tecnologia moderna. E isso é bom, sem dúvida. Mas são benefícios de que teor? Raciocínio, agilidade mental, cálculo, leitura, coordenação motora ampla ou fina. Perfeito. Concordo plenamente.

Ocorre que tais benefícios podem, além do mais, ser acrescidos de *conteúdo positivo*. Por exemplo: salvar a cidade que está poluída; salvar a princesa que está presa na torre etc. Agora, atropelar vovozinhas... Por que não escolher o adequado, se podemos?

Há controvérsias, sim, mas já se pode afirmar com certo grau de segurança que:

Assistir tevê, jogar jogos eletrônicos e utilizar o computador — em princípio — são atividades que não fazem mal às crianças.

Puxa, que bom, vou liberar o Júnior, hoje mesmo, que sossego vou ter.

É, parece ótimo. Mas, por favor, não libere o Júnior ainda não, porque *tem um "porém" importantíssimo!*

Agora você está pensando *"ai, lá vem a Tania com os poréns!"* Mas é que há sempre algum porém, mesmo.

Não se deve, porém, liberar qualquer joguinho, filme ou programa de tevê em qualquer idade e durante todo o tempo que a criança quiser.

E isso porque existem, sim, alguns perigos que você pode evitar:

PERIGO nº 1

As mídias começam a se tornar prejudiciais quando o número de horas de uso aumenta a tal ponto que a criança deixa de sair de casa para brincar e só se motiva frente às diversas telinhas (agora não é só a da televisão), onde permanece hipnotizada, horas a fio. Só mexe os dedinhos; nem pisca — os olhos ficam até secos, desidratados...

O que significa dizer, em outras palavras, que:

- **A *quantidade de horas e o conteúdo* da programação ou dos jogos devem ser observados e supervisionados pelos pais.**

Um estudo do Ibope, de 1997, mostrou que a criança brasileira ficava 3h57min, em média, frente à tevê. É bem provável que esse tempo já se tenha estendido hoje — afinal foram-se mais de treze anos. O tempo médio, à época, já quase igualava o de horas diárias na escola. Não pode ser bom, não acha? É muito. Sem contar o tempo gasto com os jogos eletrônicos e o computador.

PERIGO nº 2

As mensagens subliminares que os anunciantes desejam que o espectador absorva são habilmente colocadas, de forma que a criança provavelmente se torna uma reprodutora inconsciente de conceitos que essas entidades têm interesse em disseminar — evidentemente em seu favor, e não no das necessidades das crianças. Quem assiste mais horas, dia após dia, desde muito jovem, evidentemente tem mais possibilidade de incorporar tais mensagens massivamente recebidas e pouco ou nada discutidas.

O consumismo — "comprar, comprar, comprar" —, que provoca tantos problemas na família, pode perfeitamente ser uma das mensagens negativas introduzidas pela mídia eletrônica e incorporadas por muitas crianças, adultos e jovens com pouco ou nenhum poder de crítica.

O que, em outras palavras, quer dizer que:

- **A melhor forma de lidar com a telinha é cuidar para que a criança assista, sim, tevê, mas um pouco, não horas e horas seguidas, e sempre programas selecionados por você. Quanto menor a idade, mais supervisão.**

Significa ainda que:

- **É importante e necessário discutir, trocar ideias e analisar com seu filho — evidentemente de acordo com a possibilidade e o desenvolvimento intelectual de cada idade — significados e objetivos que permeiam as mensagens. Isto é, ajudá-lo a se**

tornar, pouco a pouco, espectador crítico e não receptáculo passivo e obediente dos ditames da mídia.

PERIGO nº 3

Pela inexperiência e ingenuidade próprias da infância e da adolescência, os jovens tornam-se alvo fácil de predadores sociais (pedófilos, traficantes de drogas ou de pessoas, assaltantes e outros). São facilmente convencidos, através dos múltiplos expedientes usados por adultos mal-intencionados, a fornecer dados, informações pessoais e da família, os quais são utilizados para atingir seus objetivos nefastos. Sem mencionar que, além disso, costumam induzi-los a mentir, disfarçar e ocultar fatos, principalmente para seus pais, de forma a não serem descobertos, nem suas armadilhas abortadas.

A imprensa vem noticiando seguidamente vários — não apenas um ou dois — casos de sequestro, assalto a residências, estupros ou desaparecimentos que começaram dessa forma.

Não é preciso falar de outros perigos, certo? Esses bastam e já são suficientemente assustadores.

Então, o que fazer?

- *Não ter em casa?*
- *Não deixar usar, se você tem em casa?*
- *Proibir de usar na casa de amiguinhos?*

Não, nada disso funciona; e é quase como ser um novo Dom Quixote de La Mancha, numa luta inglória e enlouquecida!

Proibir pura e simplesmente, ou não ter em casa, costuma apenas fragilizar a criança que fica com "água na boca" e acaba querendo aproveitar qualquer oportunidade que surja para ver os programas e filmes, jogar os joguinhos e usar o computador. Os amiguinhos que assistem, obviamente, comentam com riqueza de detalhes na escola, pracinhas e playgrounds, tornando a proibição uma faca de dois gumes.

Combate-se esse tipo de perigo com algum sucesso através do ***SABER*** *(que seus filhos adquirirão aos poucos), do cuidado e supervisão dos pais.*

Antes, no entanto, é preciso que os responsáveis analisem e decidam — em conjunto — o que permitirão e o que não consideram positivo que os filhos assistam. A idade das crianças também deve pesar e nortear essa decisão, tanto em relação aos diferentes programas quanto aos veículos de entretenimento.

É especialmente importante que ambos, pai e mãe, concordem sobre isso e orientem os que cuidam dos filhos na sua ausência para agirem da mesma forma.

Tomando a decisão adequada

Até dois anos no mínimo (se possível até três) é aconselhável que a criança *não utilize* nenhuma das mídias acima. Não há lei proibindo, mas é aconselhável. Existem estudos que indicam haver relação entre o TDA-H (Transtorno do Déficit de Atenção — Hiperatividade) e a exposição precoce à tevê.

Ainda que haja controvérsias a respeito, a pergunta que me parece pertinente é: *para que arriscar a saúde de seu filho, se é possível postergar — com lucro — o uso dessas tecnologias pelo menos por um tempo? Pai consciente é assim. Não arrisca a saúde de seu filho em nome de um conforto e comodismo pessoais.*

Bom lembrar: deixar para depois não é impedir o uso. É apenas DEIXAR PARA DEPOIS, para momento mais propício.

Também não significa que, se a criança for à casa do tio ou do avô e a tevê estiver ligada, você peça para desligarem ou coloque um tapa-olho na criança. Certo?

Qual deve ser o seu objetivo? Diminuir a exposição o mais que puder até os três anos.

Depois disso deve ser: supervisionar e controlar o que ela vê e quando vê.

É tentador, com a vida acelerada de hoje, deixar a criança vendo tevê ou jogando horas a fio nos *playstations* da vida. Ela fica quietinha um tempão e, nesse meio-tempo, você prepara o jantar, cuida do relatório que trouxe para casa e tem que entregar amanhã no trabalho, bota a roupa na máquina, olha os cadernos do filho mais velho... É verdade, é mais fácil.

A pergunta é a seguinte: Seu dia a dia já é supercomplicado e atarefado? E isso com as tarefas normais de quem tem filhos saudáveis e sem problemas de saúde. Certo? Agora pense como seria se, além de tudo, algum deles tivesse problemas de comportamento, de saúde, de rendimento escolar ou outros (ninguém está livre disso, mas aqui estamos falando apenas de problemas derivados de algo que poderia ser evitado). Piora o quadro? Muito, não?

Então o negócio é o seguinte: prevenir para não ter que remediar. Além disso, são apenas alguns anos. Se tudo correr bem (e você agir do jeito que estou referindo) eles vão crescer sadios física e mentalmente. Logo estarão independentes e dando menos trabalho. Caso contrário, talvez você tenha que cuidar deles por toda a sua vida.

Pensando assim fica mais fácil decidir, não fica?

Para não errar

- Estabeleça o tempo total máximo diário para cada tipo de mídia.
- Se preferir deixar seu filho livre para escolher, estabeleça o total, a soma delas (quanto tempo ao todo, por dia, seu filho poderá assistir tevê, jogar jogos eletrônicos, zapear pela internet e pelos sites de relacionamento).
- O limite deve ser ajustado à idade da criança: quanto menor, menos tempo.
- Não significa que aos 4 anos possa ficar quatro horas por dia e daí em diante iria obrigatoriamente aumentando até que aos 14 anos... Não faria mais nada na vida!
- Equilíbrio é a palavra de ordem para papais em relação a seus filhotinhos. Em tudo.
- Também não há regra rígida para estabelecer esse tempo. Mas há indicadores que ajudam. Quer ver? Não é nada complicado.

- Observe se a criança:
  - – Acorda bem-disposta e sai da cama na boa para ir à escola;
  - – Tem sempre tempo para brincar no playground, na rua ou em qualquer outro local, com seus amiguinhos;
  - – Vai para essas atividades de boa vontade, ou se começa a preferir ficar em casa jogando;
  - – Participa com espontaneidade e prazer das atividades conjuntas da família. Por exemplo: Quando vão jantar e você a chama, ela os acompanha sem problemas e demonstra que gosta de estar com vocês, conversar, trocar ideias, trocar suas experiências do dia;
  - – Continua tendo na escola resultados semelhantes aos que apresentava antes de começar a fazer uso dos modernos entretenimentos;
  - – Continua mantendo padrões de comportamento social semelhantes aos que apresentava antes do uso dos joguinhos, internet etc. Em outras palavras, se continua gostando da companhia de outras crianças, se aceita de bom grado convidar amigos ou ir à casa deles, quando é convidado.
- Se, a todos os itens acima, você pode responder "sim" ou "*quase* sempre" significa, quase com certeza, que você estabeleceu o limite adequado de uso.

Medidas práticas que ajudam

Em relação à televisão

- Use os filtros que as modernas tevês possuem e programe seus aparelhos de forma a vedar acesso a programas adultos, filmes pornôs e o que considere prejudicial ao seu filho (em função da idade);
- Não anuncie o uso do filtro — é algo a ser feito por adultos que educam suas crianças, de comum acordo; é ação a ser executada privadamente;
- Instale a tevê no espaço da casa em que a família se reúne — e não no quarto da criança (tevê no quarto: postergue o mais que puder);
- Assista a um ou outro programa com seu filho: assim ele se acostuma a trocar ideias e a conviver em família e não fica isolado e à mercê de influências e mensagens, que são incorporadas pela criança exatamente por ela não ter ainda capacidade de julgar (anunciantes de modo geral apostam nisso);
- Estabeleça horários e programas que seus filhos podem assistir: censura de pai e mãe (pelo menos até

parte da adolescência) não é antidemocrático — é cuidado, zelo e amor;

- Não se esqueça, porém, de que à medida que crescerem, parte das programações podem (e devem) ser liberadas;
- Assistir a programas junto com os filhos é também uma forma de ouvir o que e como as crianças pensam;
- Organize uma videoteca para as horas em que a programação é inadequada, mas as crianças ainda estão acordadas e querem assistir tevê: grave filmes, compre DVDs — são baratos e fáceis de encontrar. Assim você terá opções a oferecer em vez de simplesmente proibir ou ralhar. Oferecer alternativas é uma atitude muito positiva que dá excelentes resultados;
- Não precisa ter centenas de filmes ou desenhos. Uns dez são suficientes. Crianças adoram assistir de novo desenhos e filmes de que gostaram;
- Não se esqueça de *incluir livros* na vida de seus filhos, desde cedo.

Em relação à internet

A internet é uma rede de milhões e milhões de computadores interligados via telefone, fibra ótica e satélite; a cada dia mais e mais pessoas são conquistadas por essa maravilha, que parece ter reduzido o mundo a uma casquinha de noz. Através dela encurtam-se distâncias, economiza-se tempo, aprofundam-se conhecimentos, fazem-se amizades, troca-se material de consulta etc. Enfim, é uma conquista de porte, que veio para ficar — sem dúvida alguma.

Como todas as coisas públicas, o ciberespaço é acessado por qualquer pessoa, em qualquer parte do mundo e com qualquer tipo de intenção — sem obrigatoriamente haver necessidade de identificação.

Seu uso é recente, e à medida que vai se estendendo, revela problemas, além de vantagens. E é desse modo, na prática, que a legislação a respeito vem sendo construída.

Pouca gente supõe, ao disponibilizar um computador ligado à rede mundial, que, além de estimular a inteligência e possibilitar aos filhos novas opções de estudo e lazer, pode também expô-los a dificuldades ou situações de perigo.

Como disse, é na prática que surgem os problemas do uso — para o bem e para o mal.

Embora já existam leis que regulamentam sanções pelo mau uso, as pessoas tendem a considerar que nada do que fizerem terá qualquer tipo de punição — ou será descoberto; de fato é bem mais complicado. Ao menos, por enquanto.

Em síntese: a web é útil, pode ser maravilhosa, mas é preciso saber usar.

E para usar com segurança é necessário ter alguns conhecimentos e cuidados.

Aprender *e repassar essas aprendizagens aos filhos* é uma das novas tarefas dos pais modernos.

E supervisionar também: tarefa inglória, eu sei, mas necessária (criança é fácil de ser enganada!):

- O primeiro problema que pode ocorrer é a criança se apaixonar de tal forma pelo computador que não queira fazer outra coisa a não ser navegar e jogar joguinhos.
- Evite o problema: estabeleça dias e horários — enfim, o tempo máximo permitido (exatamente como em relação à tevê).
- De preferência, além dessa primeira regrinha, básica, acople a sanção: caso seu filho não respeite o tempo estabelecido, deixe logo fixada a forma de compensar. Por exemplo, em vez de uma hora ficou duas. No dia seguinte, não usa o computador e assim compensa o uso excedido. Fica clara para ele, desde logo, a regra do jogo. Clareza para a criança é fundamental.
- Além de clareza a criança precisa ter certeza também de que o que os pais estabelecem é para valer. Assim, *não deixe de verificar o cumprimento do que foi estabelecido nem de punir como estabelecido, caso as*

regras tenham sido ignoradas. Caso contrário, você perde a autoridade. E recuperar autoridade é muito, mas muito trabalhoso mesmo!

- Não tema alertar, desde o início, que, ao usar a internet, seu filho poderá se deparar com pessoas de todo tipo.
- Diga-lhes que no mundo existem pessoas muito legais, mas outras que não são honestas nem corretas — e que, no entanto, podem parecer muito boazinhas e legais justamente porque querem enganá-las (criança tende a acreditar em tudo que os adultos lhe dizem — qualquer adulto).
- Avise seu filho para desconfiar de qualquer pessoa (adulto ou criança) que lhe peça ou proponha qualquer coisa com a condição de "não contar aos seus pais".
- Por mais que doa "tirar a inocência" de um filho (sei que você vai se perguntar, com toda razão, para que fazer isso tão cedo, não seria melhor deixá-lo com essa ilusão mais alguns aninhos), é preciso estar consciente de que hoje a nossa casa não é mais reduto inexpugnável — a internet e a tevê "entram" e se instalam no nosso lar, e cedo começam a passar suas mensagens, boas e más; por isso não dá mais para pensar que nada de ruim vai acontecer. Pode ou não acontecer.

- Portanto, é preciso que nossas crianças saibam que adultos também podem mentir, enganar e parecer muito legais, para conseguirem o que desejam (é horrível, mas tem que ser dito).

Além disso, é preciso estabelecer desde logo o que eles ***não podem fazer*** ao usar a internet:[21]

[21] Todas as observações e orientações a partir deste item até o final do capítulo devem ser trabalhadas tanto com crianças como com adolescentes.

Cuidados que você deve ensinar seu filho a ter

1. Nunca fornecer nome completo.

2. Jamais dar endereço ou número de telefone.

3. Não informar nome e local da escola.

4. Não informar sobre horários de trabalho, lazer ou outros das pessoas da família — especialmente ressaltar para que não deixem o interlocutor perceber *se ou quando seus filhos ficam sozinhos em casa*, por exemplo.

5. Jamais fornecer senhas em *sites não certificados* (esse item somente para os que já são maiores (adolescentes e pré-adolescentes).

6. Nunca colocar fotos de corpo inteiro em sites de relacionamentos, especialmente em roupa de banho ou em situações íntimas (parece estranho alertar sobre isso, não? Atualmente, porém, é comum crianças e jovens acharem que "não tem nada demais e que todo mundo faz").

7. Explique a seu filho que, diferentemente de colocar uma foto no mural da escola, no clube, na mesa do

trabalho ou em casa, quando colocada na internet, imediatamente após ter sido postada, fica totalmente disponível e fora do seu controle, quer dizer, a multiplicação é possível e rapidíssima. *Impossível é voltar atrás depois.*

8. Alerte também para o fato de que jamais devem colocar mensagens grosseiras ou ameaças a quem quer que seja — ainda que lhe jurem que é "de brincadeira".

9. Exija que a conduta do seu filho na comunicação virtual seja a mesma que nas relações face a face: *educada, respeitosa e dentro da lei.* Explique que quem faz ameaças, conta inverdades ou propaga boatos contra alguém pode ser processado e punido. Para isso já existe legislação específica — além da geral (cada ato ilícito na internet é passível de enquadramento em algum item do código penal brasileiro e/ou internacional).

10. Oriente-o a que à primeira atitude suspeita, grosseira ou agressiva, de imediato e sem hesitação:
    - *Interrompa a comunicação com a pessoa, de imediato e sem avisar;*
    - *Salve o conteúdo numa pasta e coloque o nome (pelo menos o nome fornecido) da pessoa e o endereço virtual; e*

- *Relate o que ocorreu aos pais para que possam tomar providências, se for o caso.*

11. Ressalte a importância de não revidar a atitudes estranhas, suspeitas ou indecorosas nem com xingamentos, palavras de baixo calão ou ameaças. Apenas cortar a comunicação — *de preferência para sempre.*

12. Ensine-o também a negar permissão a qualquer site ou pessoa que peça ou se ofereça para instalar programas no seu computador.

13. Crianças e jovens costumam achar que são muito espertos quando utilizam endereços eletrônicos nos quais se pode baixar (fazer download) programas, músicas, jogos e até livros inteiros *sem pagar*. Muitos deles sentem-se superinteligentes ao fazer isso e chegam mesmo a desprezar ou criticar quem não o faz: Você, por exemplo. Ele vai dizer que é caretice, vai ficar zangado, de cara feia etc. Não ligue. Tenha certeza de que você está agindo ética e adequadamente. E prevenindo problemas.

14. Por isso é essencial mostrar-lhes que essa conduta, tão minimizada e até banalizada, fere a lei dos direitos autorais. E estabelecer mesmo como regra básica que, na sua casa, ninguém, *ninguém mesmo*, faz nada do que é proibido por lei. Postura ética sempre. Não abra mão disso, nem dê chance a que seus filhos co-

mecem a agir assim. Coloque esse ponto como *pré-requisito para o uso da internet.*

15. Cuidado com as idas a *lan houses*. Se puder evitar, evite. São locais (evidentemente não todos, mas parte deles) nos quais pessoas mal-intencionadas, como pedófilos, aliciadores de menores, usuários e traficantes de drogas costumam se infiltrar justamente porque sabem que é grande a concentração de frequentadores jovens e inexperientes. Então, mesmo que eles argumentem e lhe digam que "todo mundo vai", não ceda. E explique por quê. É sempre melhor do que apenas proibir.

16. ***Instale o computador na sala ou no local a que todos os membros adultos da família têm acesso — ao menos até ter certeza de que seu filho aprendeu a usar a internet com segurança*** (isso representa anos de uso, não meses, muito menos promessas dos filhos do tipo *ah, mãe, eu já sei usar, coloca no meu quarto, mãe, não vou fazer nada do que você não deixa — juro!*) — dessa forma, será fácil acompanhar o que ocorre. Ou inibir comportamentos mais afoitos, que talvez o jovem tivesse se soubesse que *"ninguém está vendo"*.

Se quiser aprender mais sobre internet, sites de relacionamento e legislação recomendo o site http://www.safernet.org.br.

Implantar regras adequadas e éticas, além de supervisionar seus filhos no uso da rede (web) ao menos até os 13, 14 anos, lhe dará segurança — e a seus filhos também. Assim, quando maiores, na adolescência, já conhecerão os riscos e os benefícios.

Todas essas providências devem ser apresentadas *antes* de disponibilizar computador e internet aos filhos — numa perspectiva de prevenção muito positiva.

Com segurança e regras claras desde o início, eles aceitarão melhor os interditos porque terá feito parte do "pacote" no qual, em troca, ganharam o que tanto queriam.

É normal que adultos que não têm o hábito de usar internet e computador se sintam inseguros ou sem vontade de aprender; no entanto, seu filho vai usar com certeza. Se não em casa, na escola, em casa de amigos e até em *lan houses.*

Portanto, não há como fugir (e nem é aconselhável): os pais do século XXI *têm que acompanhar* as mudanças, os avanços, o ritmo do mundo e as inovações tecnológicas.

Não significa que você precisa adorar — apenas ter conhecimentos reais dos benefícios e possíveis problemas.

Há muito mais a aprender, sem dúvida. No entanto, esses conhecimentos básicos são suficientes pelo menos para começar.

Procure não brigar com seu filho, nem com o computador, *apenas*:

Oriente-se para poder orientar.

9. Como conviver com os MEIOS-IRMÃOS do seu filho

A convivência entre filhos de uma união vigente com os gerados em uniões anteriores[22] — sejam eles seus próprios ou do seu atual companheiro (seja ele marido, namorado, *namorido* ou que nome venham a dar às associações afetivas que compõem a multifacetada família do século XXI) — é uma realidade bem comum e frequente nos dias de hoje.

Como também é o mais usual, em caso de separação, o marido sair e deixar ex-mulher e filhos na casa que até então fora de ambos. Há também uma minoria de situações em que é a mulher quem sai, permanecendo o pai com as crianças na casa.

Nas separações — litigiosas ou amigáveis — prevalece ainda, na grande maioria dos casos, a mulher como *cuidadora*; no entanto, vem crescendo vagarosamente o percentual de casais que optam pela guarda compartilhada.

[22] Neste capítulo optei por tratar a questão do ponto de vista da **mulher que construiu nova família** com alguém que já tinha filhos de outra união, os quais passam finais de semana na nova casa do pai, já com filhos ou não da nova união. Trata-se de opção visando tão somente condução de texto, que não exclui outras composições atuais. Orientações e análises do capítulo se adéquam igualmente às demais conjunções.

Independentemente disso tudo, interessa analisar aqui a questão da educação das crianças cujos pais se separaram. Atualmente, mais de 2/3 das uniões acabam se desfazendo. Muitas vezes cada um dos ex-cônjuges refaz sua vida afetiva em novas uniões. Enfim, quantos amores surjam na vida tantos poderão resultar, com muita probabilidade, em novas separações também.

O que surpreende não me parece nem tanto o fato de as ligações serem tão fluidas a ponto de se desfazerem num abrir e fechar de olhos, tema extremamente bem analisado por Bauman em seu ensaio,[23] porém, muito mais, a facilidade com que os jovens resolvem ter filhos sem necessariamente prover antes uma infraestrutura emocional e financeira mínima de sustentação — afinal, trata-se de projeto que envolve algo em torno de três décadas de trabalho ininterrupto!

Parece que, em tempos de internet banda larga, de carros que ultrapassam 200 km/h e da notícia em tempo real, casais planejam — e executam —, na mesma velocidade, ter filhos.

Não parece haver, para os casais do século XXI, o pressuposto "um relacionamento dar certo" para ter filhos. Até porque *dar certo* tem significado totalmente diverso na atualidade. O propalado *prazo fatal* de teste dos ca-

---

[23] Bauman, Zygmunt. *Amor líquido: sobre a fragilidade dos laços humanos.* Rio de Janeiro: Jorge Zahar, 2004.

samentos — o sétimo ano — parece que virou coisa do passado...

A decisão de *quando ter filhos* parece hoje ser mais facilmente adiada em função da carreira e do sucesso profissional do que pelo quesito "encontrei o companheiro ideal" que era, via de regra, o balizador segundo o qual mulheres sentiam-se inclinadas a constituir família e ter filhos.

O que tem sobrepujado agora projetos de sucesso profissional é a questão *tempo*. Em torno dos 35, 37 anos, tenham ou não atingido a situação desejada no trabalho, o *relógio biológico*[24] feminino começa a aflorar em termos de significância, alterando então os objetivos até então vigentes.

---

[24] Numa conceituação despretensiosa, seria uma estrutura presente nos seres vivos que de alguma forma permite a previsão quase exata de quando algum evento vai ocorrer. Por exemplo, o envelhecimento celular (senescência celular). Embora seja uma metáfora, o relógio biológico se refere a um fenômeno real, porque de fato a chance de uma mulher engravidar começa a diminuir quando ela tem apenas 27 anos. Aos 30, a cada relação sexual em período fértil, o índice de gravidez é de 18%. Aos 45, de 1%, no máximo. Um estudo do Centro de Controle de Doenças dos Estados Unidos/CDC demonstrou que, ao completar 42 anos, uma mulher tem menos de 10% de possibilidade de engravidar com seus próprios óvulos. O relógio biológico representa, portanto, declínio da fertilidade. Quanto mais idade tiver ao conceber, maior a chance de terem bebês com alguma disfunção genética ou de não conseguirem engravidar. O mesmo processo comprovou-se existir também em relação aos homens.

Seja qual for a situação na qual os filhos foram concebidos, a possibilidade de uma jovem se deparar com a necessidade de *conviver e cuidar* dos filhos de outras uniões de seu companheiro é muito, muito grande. E vice-versa.

O número de jovens que, sem ter pensado madura e aprofundadamente a respeito e que, de repente, se percebem no papel de madrastas é crescente. A começar pela carga negativa e estereotipada que a denominação "madrasta" carrega (quem não se lembra da história da Branca de Neve?), pode ser bem difícil para muitas mulheres lidar com essa realidade — especialmente quando é inesperada.

A prática vem mostrando, no entanto, que, cada vez mais, é preciso estar preparada para essa eventualidade nem tão eventual.

É importantíssimo se preparar para lidar de forma madura com o fato, até para estar ciente de que um relacionamento maravilhoso, que ia muito bem, pode se romper definitivamente — ou começar a *fazer água* — devido às brigas, desentendimentos e decepções que pais postiços começam a ter com os companheiros, exatamente em função do relacionamento com enteados.

A questão pode ficar mais séria ainda se, além de cuidar dos enteados, houver filhos nessa nova união. Alguns fatos do noticiário policial recente não deixam margem a dúvidas. Mulheres jovens e inexperientes podem acabar odiando — e até maltratando — crianças que, lhes parece, se "intrometem" no que seria o seu conceito de núcleo familiar.

O ciúme, a imaturidade e a insegurança podem fazer com que adultos que não pesaram devidamente suas decisões de vida se transformem em verdadeiros carrascos, por vezes de seus próprios filhos. Infelizmente a realidade não nos deixa margem de dúvidas quanto a isso.

Então — e mais uma vez — prevenir é tudo de bom!

Para pensar e lembrar

Por mais jovem e inexperiente que *você* seja, o filho do seu atual companheiro é bem mais jovem que você — quase sempre, pelo menos!

Quanto mais recente tiver sido a separação dos pais dessa criança que hoje frequenta sua casa todo final de semana ou pelo menos a cada quinze dias, maior a dificuldade de ela aceitar a existência de uma nova parceira na vida do pai.

Quase toda criança — e mesmo os adolescentes — deseja que os pais que ela se acostumou a ver juntos desde que nasceu continuem juntos.

Em sua insegurança e ingenuidade, muitas vezes a criança não tem clareza nem maturidade suficientes para entender os medos, inseguranças e dificuldades que lhe preenchem o coração num turbilhão de emoções e conflitos.[25]

[25] A esse respeito, e se quiser aprofundar o tema, leia *Educar sem culpa* e *Os direitos dos pais*, em que discuto exatamente e em vários capítulos a questão da separação dos pais.

Muitos não sabem exatamente o que os espera nessa nova situação e podem se tornar fechados, agressivos ou indelicados.

Não estranhe, portanto, se os filhos do seu novo companheiro não chegarem a sua casa, a cada final de semana, com mil carinhos e sorrisos (pelo menos no início) e, ao contrário, usarem artifícios os mais diversos para "detonar" o que sentem como ameaça a sua segurança, ou, pior ainda, como traição do pai à família e ao antigo lar.

Esses "artifícios" podem ser perceptíveis e fáceis de contornar (mutismo, ficar emburrado, responder por monossílabos, não responder, rejeitar tentativas de aproximação) em alguns casos, e bem mais irritantes e difíceis de suportar em outros.

Se a separação dos pais foi consensual e amigável, a insegurança dos filhos costuma ser menor, porque ambos estarão de acordo em relação à forma de agir com os filhos — o que preserva o equilíbrio emocional de todos. Nesses casos também não deve haver retaliações, queixas, nem chantagens emocionais com relação aos filhos.

Infelizmente, no entanto — mesmo estando no século XXI —, o mais comum é assistirmos a brigas, ofensas, oportunismo financeiro e outras atitudes até mais graves, totalmente incompatíveis com uma geração que preza, como poucas antes, a liberdade e o desejo de ser feliz.

Uma geração que herdou dos pais as benesses de dura luta pelo direito e a possibilidade de refazer a vida quando uma relação não dá certo, mas que não consegue agir com maturidade esperada nesses casos. Talvez embalada pela autoestima exacerbada que desenvolveram pela superproteção recebida dos pais, lidam mal com o que consideram *rejeição*, *abandono* ou *ingratidão*. É raro perceber-se um *mea culpa* consciente. Pelo contrário, o mais comum é culpabilizar o outro, ignorando sua própria participação no imbróglio.

Essa incapacidade de perceber-se na relação, que é sempre inter-relação evidentemente, gera desejo de vingança — sendo o hábito de detonar ou desconstruir a imagem do antigo companheiro para os filhos uma das formas mais comuns de não conformismo.

Colocando-se como vítima ou injustiçada, acaba agregando mais insegurança nas crianças, que obviamente já estão em fase crítica, necessitando restabelecer sua homeostase[26] afetiva.

Imagine só: para quem vê os pais como figuras decisivas de equilíbrio e segurança, o que pode significar percebê-las de repente se agredindo mutuamente? Fica fácil entender, consequentemente, a hostilidade e não aceitação

[26] Processo de regulação pelo qual um organismo mantém constante o seu equilíbrio.

frente ao novo elemento da relação, que pode (justa ou injustamente, não importa) ser visto como o motivo ou causa geradora de todo o processo.

Nessa situação, para lá de complicada, o adulto é você; aja como tal.

Compreenda...

- A criança e o jovem são naturalmente dependentes dos pais — física e emocionalmente. Quanto mais equilíbrio e compreensão você tiver em relação aos sentimentos deles, mais rápidas e melhores chances de superar a crise rapidamente você terá.

- Se, além da madrasta, ainda surgir um irmãozinho... Bem, aí é de se esperar que as coisas demorem mais um pouco para resolver.

- Por mais lindo e fofo que seja o seu filhinho — e por mais apaixonados que você e o papai dele estejam — não esqueça: os filhos das uniões anteriores não pediram, não queriam e não esperavam por mais essa...

- É duro, eu sei! Seu filho é carinhoso, lindo e adora os irmãozinhos que aparecem e somem a cada final de semana. Até chora quando eles vão-se embora. Você sente seu coração dissolver de dor. Afinal, ele é tão carinhoso com esses danadinhos — e eles nem ao menos retribuem!

- E o seu marido, o pai deles? Bem que podia ralhar, falar, ensinar, dar modos — no entanto, ele fica quieto, se abstém!

- Você fica doente só de ver o quanto seu filhinho se entrega, sorri e adora estar com os meios-irmãos. Enquanto que eles são *con-des-cen-den-tes*, apenas isso e olhe lá! Com o SEU FILHO! Que raiva que dá!

- Mas não, *você* não pode ter raiva!

- Você precisa *e deve entender* de que forma seus enteados veem o que ocorreu na vidinha deles (e dificilmente poderiam ver de outra maneira — não nesse momento).

- Provavelmente eles achavam que tudo ia tão bem com o papai e a mamãe em casa, e aí, um belo dia, belo nada, num dia horrível (estou tentando imaginar como eles viram e pensaram), o pai sai de casa e a mãe vem e diz, chorando, que ele não vai voltar mais, não vai mais morar com eles, só virá de vez em quando.

- Imaginou o que eles sentiram? Então é isso. Com o tempo, pode ter certeza — se você agir com sabedoria e bondade —, tudo vai se ajeitar. Vocês poderão até constituir uma única família — e poderá ser muito legal. Mas você vai ter que batalhar e entender cada passo dessa conquista. E o primeiro é esse: *são crianças — e estão com medo.*

- Com certeza, adoram os novos irmãozinhos — mas têm muito medo de que lhes tome definitivamente o lugar junto ao pai:
  - Será que o papai vai gostar mais do nenê do que deles?
  - Será que o papai vai continuar sendo como era conosco?
  - Será que o que a mamãe diz é verdade?
  - Podemos continuar a gostar do pai, sem "trair" a mamãe?
  - Será que vão poder viver e fazer o que faziam antes? A mãe disse que ele vai dar todo o dinheiro para a nova família...
  - Como será que vai ser a minha vida agora?
- É claro que as dúvidas e ansiedades geradas pela nova situação não aparecem assim arrumadinhas na cabeça deles. E esse é o grande complicador. O que não se sabe bem se imagina, em geral, pior do que será de fato.
- Vendo desse ângulo, o que me diz? Não é normal e compreensível que se sintam assim?
- Até o segundo ou terceiro filhos do mesmo pai e mãe têm momentos de insegurança e ciúme com a chegada de um novo irmão... Imagine o que não acontecerá na cabeça de quem, em pouco tempo, assistiu à saída do

pai de casa, começou a ter que passar os fins de semana com pessoas que não conhece, em ambiente que também não conhece, e com quem pode não ter uma interação positiva logo de início?

- Não é de dar um nó na cabecinha deles? Imagine mais ainda: se, além disso, de repente alguém lhes anuncia que vão ganhar mais um irmãozinho...
- Se você se coloca no lugar deles por um tempinho, começa a ver melhor — e a compreender.

E esse é o caminho: do amor adulto e da compreensão.

Para não errar

- Não se coloque logo como "a" educadora. Pelo menos não no início.
- Especialmente se eles não moram com você, aja como agiria com hóspedes queridos: trate bem, com simpatia e cordialidade.
- Ofereça o que ofereceria se os amigos do seu filho viessem passar o dia na sua casa: comida gostosa, filmes e desenhos para assistirem, brinquedos e joguinhos eletrônicos, o que tiver e quiser oferecer.
- Antes de fazê-lo, porém, verifique se o papai deles está de acordo. Pelo menos no início da convivência é preciso que você aprenda como funciona a relação deles; também é importante saber como é a relação de autoridade do pai com eles.
- Procure seguir à risca o que lhe foi informado (sobre o que é permitido e o que não é). Ainda que não concorde, não tente mudar nada, antes de passados uns bons meses e superada a fase crítica (a não ser que seja al-

guma coisa absurda! Ainda assim, converse com o maridão antes).

- Se você já tem um filho (ou mais) com seu novo companheiro, aja como mãe; atue e eduque da forma que acredita seja a melhor para ele; *mas não o faça com seus enteados*. Mesmo que acredite que seria o melhor para eles, mesmo que considere que são mimados, estragados e cheios de vontades. Mesmo que ache seu companheiro omisso e a "ex" péssima educadora.

- Não externalize essas suas opiniões — nem para as amigas e, em especial, muito menos para *o pai das crianças*. Apenas dê tempo ao tempo!

- Empenhe-se primeiro em conquistar os seus meios-filhos. Sem bajular, nem seduzir. Apenas seja você mesma, brinque, converse, ria, seja carinhosa e, se houver oportunidade, reassegure-os de que a mãe deles continua e continuará sendo a mãe deles.

- Reafirme também que o pai deles continuará sendo pai deles — do mesmo jeito e como sempre foi.

- Se houver oportunidade diga-lhes que sabe que eles estão preocupados e tristes com a separação, mas que tem certeza de que ainda serão todos ótimos amigos. Mas só faça isso quando sentir que há realmente autenticidade no que você está falando — e também se perceber que eles já estão prontos para ouvir isso *de você*.

- Lembre-se: *este é apenas o início de um processo.* Quando as crianças estiverem seguras de que *tudo estará bem em suas vidas; de que você não vai lhes dar nenhuma maçã envenenada para comer; de que a mãe deles continuará sempre por lá, cuidando deles; de que o pai ainda as ama e continuará amando, ufa!* Depois que tudo isso se ajeitar em seus corações — você os terá na mão, quero dizer, no afeto, e, aí sim, poderá colocar as regras que achar conveniente, até para igualar filhos e meios-filhos. Mas não antes disso.

- Não tente fazê-los comer ou aceitar as propostas de entretenimento que preparou "com tanto" carinho. Ofereça; se não aceitarem (eles o farão no início, para lhe desagradar e para mostrar o que estão sentindo), não diga nada. Coma você, brinque ou ofereça aos demais.

- Da mesma forma, se você programou ir à praia ou ao shopping para alegrá-los, não insista se eles disserem que não querem ir. Diga; *que pena, pensei que vocês iam gostar. Querem fazer outra coisa?*

- Se eles propuserem algo absurdo (não é de todo impossível...) diga apenas, *Ah, isso não vai dar! Que pena!*

- Jamais "choramingue" (como uma pobre criancinha magoada) no ombro do maridinho, fazendo queixa e beicinho, "puxa, olha só como ele é, fiz e ele nem provou!". Lembre-se de que seu marido já está farto de crianças emburradas à volta (inclusive a "ex") — não precisa de mais ninguém aumentando a tropa chorosa.

- Agindo com compreensão, afeto e calma — muita calma! —, você não apenas conquistará seus enteados, como tornará seu novo companheiro grato e certo de ter feito a escolha perfeita ao ficar com você. Mas aprenda a dar tempo ao tempo. Ainda que seja difícil para você.

- Quando a fase de rejeição passar, aí sim, apresente ao seu companheiro o que não está lhe agradando e como preferiria que fosse. Mas faça isso como um diálogo, um acerto de rumo, não como *imposição nem como se fosse você a "dona" da verdade.*

- Se foi você que se mudou para a casa dele com os filhos, não interfira na arrumação, nem na educação que ele dá. Se quiser e perceber, algum tempo depois, que há espaço para tal, troque ideias com seu companheiro e apresente argumentos em relação ao que considera errado.

- Só assuma a educação dos enteados caso eles morem com você; e, ainda assim, *combinando tudo com o pai deles antes.*

- Deve ser um trabalho de equipe e não uma briga, nem uma competição com a "ex".

- Por mais difícil que seja para uma mãe, use com o seu filho as mesmas regras, o mesmo grau de exigência e idênticas medidas de justiça que aplica aos meios-irmãos dele.

Com certeza, assim, você terá um filho supereducado...

À guisa de conclusão

Se, ao final da leitura, lhe parecer que o mundo é uma catástrofe prestes a desabar sobre você e seus filhos, esfrie a cabeça. *Não é.*

Aos poucos, você assimilará tudo que foi aqui explicado. Pode parecer complicado e cheio de regras. É impressão: só "arrumei" várias teorias da aprendizagem em tópicos, para facilitar sua vida.

Sempre que tiver dúvidas, volte à leitura.

Livro é bom por isso: é seu! Portanto, pode ser consultado quantas vezes precisar e forem necessárias.

Marque o que achar interessante. Realce. Sublinhe.

Faça do jeito que lhe der vontade. E... Coloque em prática!

Se não funcionar perfeitamente nas primeiras vezes, leia de novo o capítulo relacionado. Não há nisso nenhum demérito, pelo contrário. Significa que você é uma pessoa consciente de seus deveres, protetora e amorosa. Alguém que quer acertar, fazer o melhor para seu filho e quer fazer bem-feito!

Alguém assim só merece parabéns!

Se o que você leu lhe parecer pouco, se sentir necessidade de se aprofundar, consulte a relação de livros que apresento a seguir nas referências bibliográficas. Compre, busque e leia. Só não deixe morrer dentro de você esse interesse.

Leia e aprenda sempre mais e mais.

Referências bibliográficas

Abraham, Ben. *Janusz Korczak: coletânea de pensamentos*. São Paulo: Associação Janusz Korczak, 1986.

Armstrong, A. *A criança e a máquina: como os computadores colocam a educação de nossos filhos em risco*. Porto Alegre: Artmed, 2001.

Bauman, Zygmunt. *Amor líquido: sobre a fragilidade dos laços humanos*. Rio de Janeiro: Jorge Zahar, 2004.

Bourdieu, P. *Sobre a televisão*. Rio de Janeiro: Jorge Zahar, 1997.

Canguilhem, G. *O normal e o patológico*. Rio de Janeiro: Forense Universitária, 2007.

Cerizara, A. B. *Rousseau: a educação na infância*. São Paulo: Scipione, 1990.

Glassner, B. *Cultura do medo*. São Paulo: W11 Editores, 2003.

Jacob, C. *Peut-on encore élever ses enfants?* Paris: Fleurus, 2000.

Kellerman, J. *Filhos selvagens: reflexões sobre crianças violentas*. Rio de Janeiro: Rocco, 2002.

Maslin, K. T. *Introdução à filosofia da mente*. Porto Alegre: Artmed, 2009.

Muraro, R. M. *Educando meninos e meninas para um mundo novo*. Rio de Janeiro: Zit Gráfica e Ed., 2007.

Oliveira, M. K. *Vygotsky: aprendizado e desenvolvimento, um processo sócio-histórico*. São Paulo: Scipione, 1998.

Palmer, J. A. *50 grandes educadores: de Confúcio a Dewey*. São Paulo: Contexto, 2005.

———. *50 grandes educadores: de Piaget a Paulo Freire*. São Paulo: Contexto, 2006.

Severe, S. *A educação pelo bom exemplo*. Rio de Janeiro: Campus, 2000.

Yarrow, K.; O'Donnell, J. *Gen Bu Y: How tweens, teens and twenty-somethings are revolutionizing retail*. São Francisco, EUA: Jossey Bass, 2009.

Zagury, T. *Sem padecer no paraíso, em defesa dos pais ou sobre a tirania dos filhos*. Rio de Janeiro: Record, 1991.

———. *Educar sem culpa, a gênese da ética*. Rio de Janeiro: Record, 1993.

———. *O adolescente por ele mesmo*. Rio de Janeiro: Record, 1996.

———. *Encurtando a adolescência*. Rio de Janeiro: Record, 1999.

———. *Limites sem trauma, construindo cidadãos*. Rio de Janeiro: Record, 2000.

———. *Os direitos dos pais, construindo cidadãos em tempos de crise*. Rio de Janeiro: Record, 2004.

———. *Escola sem conflito: parceria com os pais*. Rio de Janeiro: Record, 2007.

———. *O professor refém: para pais e professores entenderem por que fracassa a educação no Brasil*. Rio de Janeiro: Record, 2006.